TIRS CROISÉS

DU MÊME AUTEUR

Dans la série « Alex Cross » :
Le Masque de l'araignée, Lattès, 1993.
Et tombent les filles, Lattès, 1995.
Jack et Jill, Lattès, 1997.
Au chat et à la souris, Lattès, 1999.
Le Jeu du furet, Lattès, 2001.
Rouges sont les roses, Lattès, 2002.
Noires sont les violettes, Lattès, 2004.
Quatre Souris vertes, Lattès, 2005.
Grand Méchant Loup, Lattès, 2006.
Des nouvelles de Mary, Lattès, 2008.
La Lame du boucher, Lattès, 2010.
La Piste du Tigre, Lattès, 2012.
Moi, Alex Cross, Lattès, 2013.

Dans la série « Women Murder Club » :
1er à mourir, Lattès, 2003.
2e Chance (avec Andrew Cross), Lattès, 2004.
Terreur au 3e degré (avec Andrew Cross), Lattès, 2005.
4 Fers au feu (avec Maxine Paetro), Lattès, 2006.
Le 5e Ange de la mort (avec Maxine Paetro), Lattès, 2007.
La 6e Cible (avec Maxine Paetro), Lattès, 2008.
Le 7e Ciel (avec Maxine Paetro), Lattès, 2009.
La 8e Confession (avec Maxine Paetro), Lattès, 2010.
Le 9e Jugement (avec Maxine Paetro), Lattès, 2011.
10e Anniversaire (avec Maxine Paetro), Lattès, 2012.
La 11e et dernière heure (avec Maxine Paetro), Lattès, 2013.
La Diabolique, Lattès, 1998.
Souffle le vent, Lattès, 2000.
Beach House, Lattès, 2003.
Bikini, Lattès, 2009.

www.editions-jclattes.fr

James Patterson

TIRS CROISÉS

Roman

Traduit de l'anglais (États-Unis)
par Béatrice Roudet-Marçu

JC Lattès

Collection « Suspense et Cie »
dirigée par Sibylle Zavriew

Titre de l'édition originale :
Cross Fire
Publiée par Little, Brown and Company, New York, NY.

Maquette de couverture : Bleu T
Photo : Clayton Bastiani / Trevillion Images

ISBN : 978-2-7096-3643-8

Première édition juin 2014.
Publié avec l'accord de Linda Michaels Limited, International Literary Agents.

À Scott Cowen, président de l'université Tulane et héros de la Nouvelle-Orléans, dont les efforts herculéens et l'influence ont permis d'assurer tant à l'université qu'à la ville un avenir plus prometteur après la dévastation causée par l'ouragan Katrina.

PROLOGUE

QUI TROUVE GARDE

1

Cela faisait des mois que Kyle Craig n'avait pas tué un homme. Il avait été du genre à vouloir tout, tout de suite, voire pour la veille. Plus maintenant, toutefois. Le cauchemar de ses années d'isolement au sein de la prison de très haute sécurité ADX Florence, dans le Colorado, lui avait au moins enseigné une chose : savoir attendre ce qu'il désirait.

Assis dans le vestibule de l'appartement de sa proie, il patientait, son arme posée sur les genoux, observant les lumières du port de Miami en attendant son heure. Comme rien ne pressait, il s'offrait le loisir d'admirer la vue, d'apprendre peut-être enfin à profiter de la vie. Sa tenue correspondait à son humeur décontractée : jean délavé, sandales, tee-shirt avec l'inscription « PREMIER AVERTISSEMENT ».

À 2 h 12 du matin, une clef s'introduisit dans la serrure. Kyle bondit sur ses pieds et resta le dos collé au mur, aussi immobile et silencieux qu'une statue.

Le héros du jour, Max Siegel, sifflait quand il entra. Kyle reconnut la mélodie, un vieil air de son enfance, tiré de *Pierre et le Loup*. C'était la partie des instruments à cordes, le thème de Pierre parti en chasse. Plutôt ironique.

Il laissa M. Siegel refermer la porte derrière lui et s'avancer de quelques pas dans la pénombre de l'appartement, puis il ajusta la visée de son pointeur laser et pressa la détente.

— Bonjour monsieur Siegel. Ravi de faire votre connaissance.

Un jet de solution saline chargée à cinquante mille volts atteignit l'homme en plein dos. Il poussa un grognement entre ses dents serrées, ses épaules se contractèrent juste avant que son corps ne devienne complètement rigide, et il s'abattit tel un arbre coupé.

Kyle ne perdit pas une seconde. Il glissa rapidement une corde en nylon autour de la gorge de sa victime, l'enroulant trois fois, traîna le corps en mouvements circulaires pour éponger la solution saline répandue sur le sol, et le tira ensuite jusqu'à la salle de bains, au fond de l'appartement. Trop faible pour lutter, Siegel concentrait sur la corde ses maigres forces restantes afin de ne pas se laisser étrangler.

— Ne résistez pas, finit par dire Kyle. Ça ne sert à rien.

Il le hissa dans la vaste baignoire et noua les extrémités de la corde à l'un des robinets en chrome, non pour immobiliser sa proie, cela n'était pas nécessaire, mais pour garder sa tête relevée de manière à bien voir son visage.

— Vous ne connaissez sans doute même pas ces joujoux, hein ? railla-t-il en brandissant l'étrange pistolet qu'il avait apporté. Je sais que ça fait un moment que vous êtes en mission d'infiltration mais, croyez-moi, ils vont cartonner.

L'arme ressemblait à un gros pistolet à eau, ce qu'elle était en quelque sorte. Les décharges électriques des Tasers ordinaires duraient au mieux trente secondes. Avec ce petit bijou, elles pouvaient se prolonger très, très longtemps, grâce au réservoir de huit litres transportable sur le dos.

— Que... que voulez-vous? parvint à bredouiller Siegel, suffoquant, complètement déboussolé.

Kyle sortit de sa poche un petit Canon et prit en photo le visage de sa victime. Face, profil gauche, profil droit.

— Je sais qui vous êtes, agent Siegel. Commençons par là, d'accord?

Les traits de l'homme exprimèrent la confusion. Puis la peur.

— Oh, mon Dieu, mais c'est une horrible erreur! Je m'appelle Ivan Schimmel!

— Non, rétorqua Kyle, tout en le mitraillant : front, nez, menton. Vous êtes Max Siegel, du FBI. Vous êtes en infiltration totale depuis vingt-six mois. Vous avez gravi les échelons au sein du cartel Buenez, jusqu'à ce que l'on vous fasse assez confiance pour vous charger des expéditions. Aujourd'hui, pendant que tout le monde surveille la Colombie, vous envoyez de l'héroïne à Miami depuis Phuket et Bangkok.

Il baissa l'appareil photo pour regarder Siegel dans les yeux.

— Oublions le relativisme moral. Tous vos agissements seront justifiés par le gros coup de filet final. C'est bien ça, agent Siegel?

— Je ne sais pas de quoi vous parlez ! S'il vous plaît ! Vérifiez sur mes papiers d'identité !

Siegel recommença à se débattre, mais une nouvelle décharge le calma vite. L'électricité touchait directement ses nerfs moteurs et sensitifs. Peu importait son degré de tolérance à la douleur, il était au-delà de ça. Et les « munitions », si l'on peut dire, filaient droit par la bonde pour aller s'écouler dans la baie de Biscayne.

— Je suppose que vous avez des excuses pour ne pas me reconnaître, reprit Kyle. Est-ce que le nom de « Kyle Craig » vous rappelle quelque chose ? Ou peut-être « le Cerveau » ? C'est ainsi qu'on me désignait au Puzzle Palace[1] à Washington, DC. En fait, j'ai travaillé là-bas. Il y a longtemps.

Une lueur de compréhension traversa le regard de Siegel. Non que Kyle ait eu besoin de se faire confirmer qu'il n'y avait pas erreur sur la personne, sa technique de reconnaissance de la cible étant restée parfaitement au point. Toutefois, ce Max Siegel était un pro, lui aussi. Il n'allait pas tomber le masque, surtout pas maintenant.

— S'il vous plaît, geignit-il quand il eut retrouvé sa voix, de quoi s'agit-il ? Qui êtes-vous ? Je ne comprends pas ce que vous voulez.

— Tout, Max. Dans les moindres détails.

Kyle prit encore une demi-douzaine de clichés et rangea l'appareil photo.

— En réalité, vous êtes victime de l'excellence de votre travail, si cela peut vous consoler. Personne ne vous connaît ici, pas même à l'antenne locale du FBI.

1. Surnom donné à la National Security Agency (NSA). (*Toutes les notes sont de la traductrice.*)

C'est pour cette raison que mon choix s'est porté sur vous. Je vous ai sélectionné parmi tous les agents en poste aux États-Unis. Vous, Max. Devinez-vous dans quel but ?

Sa voix avait changé à mesure qu'il parlait. Elle était devenue plus nasale, teintée du léger accent de Brooklyn qui caractérisait sa proie, le véritable Max Siegel.

— Ça ne marchera jamais ! Vous êtes fou ! cria celui-ci. Vous êtes complètement cinglé !

— C'est sans doute vrai, selon certains critères. Mais je suis aussi le fils de pute le plus intelligent que vous aurez eu le plaisir de rencontrer.

Il appuya sur la détente une fois de plus, et laissa l'arme se décharger.

L'agent se tordit en silence au fond de la baignoire, puis commença à s'étouffer avec sa langue, sous les yeux de Kyle qui nota soigneusement chaque détail du début à la fin, étudiant son sujet jusqu'à ce qu'il n'y ait plus rien à apprendre.

— Espérons que mon plan fonctionne, conclut-il. Il ne faudrait pas que vous soyez mort pour rien, monsieur Siegel.

2

Vingt-deux jours plus tard, un homme qui ressemblait de façon frappante à Max Siegel libéra sa chambre de l'hôtel Meliá Habana, situé dans le luxueux quartier de Miramar à La Havane. Comme le tourisme médical était aussi courant ici que le vol à la tire, personne ne prêta attention, quand il traversa le hall, à cet individu aux larges épaules dans son costume de lin, aux yeux cerclés d'ecchymoses, les oreilles et le nez cachés sous des bandages.

C'est avec une signature parfaitement imitée que sa note fut réglée puis débitée sur la carte American Express toute neuve de Max Siegel. Les interventions chirurgicales, elles, avaient été payées en liquide.

Un taxi le conduisit de l'autre côté de la ville, à la clinique du Dr Cruz, discrètement nichée dans l'une des innombrables galeries à arcades néoclassiques de La Havane. Dotée d'un équipement de pointe et d'un personnel compétent, elle proposait toute la gamme de soins possibles et aurait fait la fierté des chirurgiens esthétiques hors de prix établis à Miami ou à Palm Beach.

— Je tiens à vous dire, Señor Siegel, que je suis plutôt satisfait du résultat. Permettez-moi d'affirmer que c'est l'une de mes meilleures réalisations, déclara le Dr Cruz d'une voix feutrée tandis qu'il retirait la dernière bande de gaze.

Alliant précision, efficacité et prévenance, sa façon de travailler témoignait d'un tel professionnalisme qu'on ne l'aurait jamais cru prêt à tailler aussi largement dans l'éthique en même temps que dans la peau et les os de ses clients.

Il avait enchaîné sept interventions distinctes qui, ailleurs, auraient nécessité plusieurs mois, voire une année. Une blépharoplastie pour les paupières ; une rhinoplastie fermée pour le nez, avec décollement complet de la peau et des tissus mous de la pyramide nasale ; des implants Medpor destinés à faire saillir davantage pommettes et menton, assortis pour ce dernier d'une génioplastie ; une injection de silicone de façon à bomber légèrement le front ; enfin, comme touche finale, une jolie petite fossette au menton, copie conforme de celle de Max Siegel.

À la demande expresse du patient, aucune radio ou IRM n'avait été effectuée ni avant ni après les opérations. En échange d'une rémunération adéquate, le Dr Cruz avait volontiers accepté de procéder uniquement à partir de gros plans numériques tirés sur papier, sans poser de questions ni s'intéresser à aucun détail biologique ou physique.

Le large miroir à main qu'il présentait maintenant à Kyle renvoya une image stupéfiante ; grâce aux implants, en particulier, la métamorphose était quasi miraculeuse.

C'était Max, et non plus Kyle, qui souriait dans la glace. Il sentit un tiraillement aux coins de sa bouche ; elle remuait différemment désormais. En fait, il ne se reconnaissait plus du tout. C'était une illusion totale, mais la meilleure qui soit. Il avait utilisé d'autres déguisements dans le passé, dont des prothèses extrêmement coûteuses qui lui avaient permis de s'évader de prison. Tout cela n'était pourtant rien en comparaison de ce résultat.

— Combien de temps vont durer les ecchymoses ? s'enquit-il. Et le gonflement autour des yeux ?

Le médecin lui remit un dossier contenant les consignes de soins postopératoires.

— Avec suffisamment de repos, vous devriez retrouver une apparence parfaitement normale d'ici sept à dix jours.

Kyle se chargerait lui-même des dernières modifications : rasage soigné, teinture brune et coupe de cheveux à la tondeuse, lentilles colorées. Son unique regret, pour être sincère, venait de ce que Kyle Craig était beaucoup plus beau que Max Siegel.

Tant pis. Le but importait plus que tout. La prochaine fois, il pourrait se transformer en Brad Pitt s'il le souhaitait.

Il quitta la clinique d'excellente humeur et prit un taxi pour se rendre à l'aéroport international José Marti. De là, un vol le ramena à Miami et, après une correspondance, il atterrit à Washington, DC, l'après-midi même. Prêt pour le clou du spectacle.

Ses pensées se canalisaient déjà sur cette seule idée : la rencontre avec son vieil ami et collaborateur à l'occasion, Alex Cross. Celui-ci avait-il oublié les promesses que lui avait faites Kyle au fil des ans ? Improbable. Était-il toutefois devenu un peu trop confiant durant ce temps ? Peut-être bien. Dans tous les cas, le « grand » Alex Cross allait mourir, lentement et dans la souffrance. Il éprouverait de la douleur et bien davantage… des regrets. Une apothéose qui serait assurément à la hauteur de l'attente.

Qui trouve, garde

Dans l'intervalle, Kyle comptait s'amuser un peu. Après tout, en tant que Max Siegel version nouvelle et améliorée, il savait mieux que quiconque qu'il y avait plus d'une façon de prendre la vie d'un homme.

PREMIÈRE PARTIE

PRÊT À TIRER

1

À Georgetown, une autre plaque d'égout avait sauté, s'envolant à près de douze mètres de haut. C'était une étrange épidémie, comme si l'infrastructure vieillissante de la ville atteignait une sorte de point critique.

Avec le temps, les câbles souterrains victimes de l'usure avaient chauffé et du gaz inflammable s'était répandu sous les rues, jusqu'à ce que – et cela arrivait plus fréquemment ces jours-ci – les fils électriques dénudés produisent suffisamment d'étincelles pour créer une boule de feu dans les égouts, propulsant dans les airs les plaques en acier cylindriques de plus de cent trente kilos.

C'était le genre de trucs bizarres et effrayants dont Denny et Mitch raffolaient. Chaque après-midi, ils rassemblaient leurs journaux à vendre et les emportaient à pied jusqu'à la bibliothèque, où ils consultaient le site Internet du service des transports publics, à la recherche du pire embouteillage à ces heures de pointe. Les bouchons étaient leur meilleur gagne-pain.

Même en temps normal, le Key Bridge faisait honneur à son surnom, « *Car Strangled Spanner* », en raison du goulot d'étranglement qui s'y formait ; mais ce jour-là, dans M Street, les approches du pont tenaient à la fois du parking public et du cirque. Denny se faufila au milieu de la circulation bloquée, tandis que Mitch remontait les files de voitures par l'extérieur.

— *Le Vrai Journal,* un dollar seulement ! Pour aider les sans-abri.

— Jésus vous aime ! Un coup de main aux sans-abri ?

Physiquement, ils formaient une drôle de paire. Denny, un Blanc très grand, les dents gâtées et une barbe de plusieurs jours qui ne cachait jamais vraiment son menton fuyant, et Mitch, un Afro à la peau très sombre, avec un corps massif ne dépassant pas le mètre soixante-dix et une tête à l'expression juvénile, hérissée de courtes dreadlocks.

— Cet endroit est une parfaite métaphore, pas vrai ? disait Denny.

Ils discutaient par-dessus les toits des voitures, ou plutôt Denny parlait, avec Mitch dans le rôle de faire-valoir, pour le public.

— On a la pression qui monte, tout en bas, là où personne ne regarde parce qu'y a que des rats et de la merde, poursuivit-il, et tout le monde s'en fout, hein ? Et puis un jour… (Les joues gonflées, il émit un son imitant une explosion nucléaire.) On est forcé d'y prêter attention, parce que les rats et la merde sont partout, et tout le monde exige de savoir pourquoi y a personne pour arrêter ça. Sérieusement, si c'est pas du Washington pur jus, alors je me demande ce que c'est.

— Du pur jus, mon frère. Du vrai jus de chaussette ! répliqua Mitch en s'esclaffant à sa blague idiote.

Son tee-shirt délavé affichait l'inscription « IRAK : SI VOUS N'Y ÉTIEZ PAS, FERMEZ-LA ! » Comme son compagnon, il portait un ample pantalon de treillis, à la différence que le sien était coupé à mi-mollet.

Le tee-shirt de Denny ne lui couvrait que les épaules et le haut du dos, de façon à exhiber ses tablettes de chocolat passablement développées. Un peu de sex-appeal ne faisait jamais de mal, surtout que son visage n'était pas son meilleur atout.

— C'est la méthode américaine, reprit-il, assez fort pour être entendu dans tous les véhicules ayant une vitre baissée. Continuez à faire ce que vous avez toujours fait, comme ça vous aurez toujours la même chose. J'ai pas raison ?

Ses derniers mots s'adressaient à une jolie femme en tailleur strict au volant d'une BMW. Elle lui sourit et acheta un journal.

— Que Dieu vous bénisse, mademoiselle. Voilà comment il faut s'y prendre, mesdames et messieurs !

Pendant qu'il poursuivait son numéro, des conducteurs de plus en plus nombreux lui tendirent des billets par les vitres.

— Yo, Denny ! Je crois qu'on leur plaît pas trop à ces deux-là.

Mitch indiquait du menton deux agents de police qui approchaient, venant de la 34e. Avant qu'ils n'aient ouvert la bouche, Denny leur cria :

— Faire la manche n'est pas illégal, messieurs les agents. Pas en dehors des espaces verts publics, et la dernière fois que j'ai vérifié, M Street n'en était pas un !

L'un des policiers eut un geste large qui englobait l'embouteillage ainsi que les camions de la compagnie d'électricité Pepco et les voitures de pompiers, tous à l'arrêt.

— Vous vous fichez de moi ? Allez, disparaissez !

— Enfin, quoi, vous allez refuser à deux vétérans à la rue le droit de gagner honnêtement leur vie ?

— T'as été en Irak, mec ? ajouta Mitch, tandis que les gens autour commençaient à s'intéresser à la scène.

— Vous avez entendu mon collègue, lui dit le deuxième agent. Partez d'ici ! Immédiatement.

— Hé, vieux, c'est pas parce que t'as un trou du cul que tu dois en être un, lança Denny.

Cette répartie lui valut quelques rires. Il sentait que le public captif prenait leur parti.

Soudain, la situation dégénéra. L'un des policiers voulut pousser Mitch, qui n'aimait pas qu'on le touche, et il se retrouva sur les fesses, entre les voitures. L'autre posa une main sur l'épaule de Denny ; rapide comme l'éclair, celui-ci la dégagea d'un coup de poing.

Il était temps de partir…

Denny s'esquiva par une glissade sur le capot d'un taxi et fila vers Prospect Street, Mitch sur ses talons.

— Arrêtez-vous ! rugit l'un des flics.

Alors que Mitch continuait à courir, Denny se retourna. Plusieurs voitures les séparaient des agents.

— Qu'est-ce que vous allez faire, tirer sur un vétéran sans domicile, au beau milieu de la circulation ? les provoqua-t-il, bras écartés. Allez-y, descendez-moi ! Faites économiser quelques dollars au gouvernement.

Les gens klaxonnaient, certains intervenaient depuis leurs véhicules.

— Fichez donc la paix à ce type !

— Soutenez les troupes !

Denny sourit, salua le policier d'un geste obscène du majeur, et fonça rattraper Mitch. Une seconde plus tard, ils piquaient un sprint dans la 33e et furent bientôt hors de vue.

2

Ils riaient encore quand ils regagnèrent le vieux 4×4 Suburban de Denny, garé près de la bibliothèque Lauinger dans l'un des nombreux parkings du campus de l'université de Georgetown.

— C'était trop cool !

Son visage poupin avait beau briller de sueur, Mitch n'était même pas essoufflé ; chez lui, le gras n'était en fait que du muscle. Il répéta comme un perroquet :

— Qu'est-ce que vous allez faire, tirer sur un vétéran sans domicile, au beau milieu de la circulation ?

— *Le Vrai Journal*, un dollar, fit Denny. Un menu chez Taco Bell, trois dollars. Et tu as vu la tête du flicard quand il a compris qu'il s'était fait avoir ? Impayable ! J'aurais aimé avoir une photo.

Il récupéra une enveloppe orange vif coincée sous l'essuie-glace et monta en voiture, côté conducteur.

Dans l'habitacle flottaient encore les relents des cigarettes fumées à la chaîne et des burritos mangés sur place, la nuit précédente. Des oreillers et des couvertures roulés en boule s'entassaient sur la banquette arrière, près d'un grand sac-poubelle rempli de canettes consignées.

Dans le coffre, sous le plancher en faux contreplaqué couvert d'une pile de cartons aplatis et de vieilles chutes de moquette, étaient rangés deux pistolets Walther PPS neuf millimètres, un fusil semi-automatique M21 et un fusil de sniper M110 de modèle militaire. S'y ajoutaient une lunette longue portée à visée thermique, une lunette de repérage télémétrique, un kit de nettoyage pour les fusils et plusieurs boîtes de munitions, le tout enveloppé dans une bâche en plastique maintenue serrée par des tendeurs élastiques.

— Tu t'es bien débrouillé, là-bas, Mitchie. Vraiment bien. Tu n'as pas perdu ton calme une seconde.

— Nan, je m'énerverai pas, Denny. Je suis d'un calme olympique. Euh... comment on dit déjà ? Olympien.

Pendant que Mitch vidait ses poches sur le plateau-repas vide posé entre eux, Denny compta les gains de la journée : quarante-cinq dollars, pas mal en si peu de temps. Il donna à son compagnon dix billets d'un dollar et une poignée de pièces de vingt-cinq cents.

— Alors, qu'est-ce que t'en penses, Denny? Je suis prêt ? Moi, je crois que oui.

Calé dans son siège, celui-ci alluma l'une des cigarettes à moitié fumées qui traînaient dans le cendrier, la tendit à Mitch et s'en alluma une autre. Il en profita pour mettre le feu à l'enveloppe orange contenant la contravention, et la jeta sur le sol cimenté du parking.

— Ouais, Mitch, je crois aussi. La question est plutôt : sont-ils prêts pour nous ?

Les genoux de Mitch se mirent à jouer les marteaux-piqueurs.

— On commence quand ? Ce soir ? Pourquoi pas ce soir, hein ? Denny ?

Avec un haussement d'épaules, Denny s'appuya contre le dossier.

— Profite donc de ta tranquillité tant que tu peux, tu vas être célèbre bien assez tôt, répondit-il en soufflant un rond de fumée, puis un autre qu'il projeta à travers le premier. Tu es prêt à devenir célèbre ?

Mitch observait par la vitre deux mignonnes étudiantes en jupe courte qui traversaient le parking. Ses genoux continuaient à tressauter.

— Je suis prêt à démarrer ce truc, point barre.

— Bravo, mon gars. Et c'est quoi la mission, Mitchie ?

— Remettre de l'ordre à Washington, exactement comme les politiciens disent toujours.

— Exact. Eux, ils parlent…

— Mais nous, on va agir. Pas de doute. C'est sûr.

Denny lui tendit son poing à frapper, puis il démarra. Il remonta lentement l'allée du parking en marche arrière afin de profiter du spectacle des filles vues de dos.

— À propos de poulettes, dit-il, ce qui fit glousser Mitch, où est-ce que tu veux manger ? On a de quoi flamber, aujourd'hui.

— Taco Bell, man, répondit Mitch sans hésiter.

Denny repassa brutalement en marche avant et accéléra.

— Quelle surprise !

3

Ces derniers temps, celle qui faisait la une dans ma vie, c'était Bree. Surnommée « le Roc » au sein du MPD, le Metropolitan Police Department de Washington, Brianna Stone honorait ce petit nom par sa solidité, mais c'était également une femme passionnée et ravissante. Elle faisait désormais partie de mon quotidien au point que je ne pouvais plus m'imaginer sans elle à mes côtés. Mon existence n'avait pas été aussi saine et équilibrée depuis des années.

Évidemment, le calme qui régnait dernièrement à la section des homicides n'y était pas étranger. En tant que flic, on ne peut s'empêcher de se demander quand la prochaine grosse tuile va nous tomber dessus ; dans l'intervalle, nous profitions ce jeudi-là, Bree et moi, d'une pause déjeuner de deux heures totalement inédite. En général, les seules occasions que nous avions de nous voir dans la journée étaient lorsque nous collaborions sur une affaire criminelle.

Nous étions installés au fond du Ben's Chili Bowl, sous les photographies dédicacées de célébrités. Ben's n'est pas le lieu le plus romantique au monde, mais c'est néanmoins une institution à Washington. Ses hot-dogs à la viande fumée et sauce chili valent le détour à eux seuls.

Alors qu'elle dégustait son milk-shake au café, Bree m'annonça :

— Tu sais comment on nous appelle au bureau ces temps-ci ? Breelex.

— Breelex ? Comme pour Brad Pitt et Angelina Jolie ? Quelle horreur !

Elle éclata de rire, incapable de garder son sérieux à cette idée.

— Les flics n'ont aucune imagination, c'est moi qui te le dis.

— Hmm, fis-je, glissant une main sous la table pour la poser sur sa jambe. Certains font exception, bien sûr.

— Bien sûr.

La suite devrait attendre, et pas seulement parce que les toilettes du restaurant n'étaient en aucun cas envisageables. Nous avions ce jour-là une course à faire ensemble, quelque chose d'important.

Après le déjeuner, nous remontâmes U Street, main dans la main et d'un pas tranquille, jusqu'à la joaillerie de Sharita Williams. En plus d'être une vieille amie de l'époque du lycée, elle effectuait un travail remarquable sur les bijoux anciens.

Une ribambelle de clochettes carillonnèrent au-dessus de nos têtes quand nous franchîmes allègrement la porte de la boutique.

— Eh bien, on vous croirait amoureux, tous les deux ! lança Sharita avec un sourire depuis le comptoir.

— Sans doute parce qu'on l'est, Sharita. Et c'est un état que je recommande fortement.

— Alors trouve-moi un homme bien, Alex. Je suis partante.

Sachant pourquoi nous étions venus, elle prit sous le comptoir une petite boîte recouverte de velours noir.

— Le résultat est magnifique, Alex, déclara-t-elle. J'adore ce bijou.

La bague avait appartenu à Nana Mama, ma grand-mère, dont les mains étaient minuscules, et nous l'avions fait agrandir pour Bree. Dans la monture art déco en platine étaient sertis trois diamants, symbole parfait à mes yeux : un pour chacun de mes enfants. Cela peut paraître sentimental, mais j'avais l'impression que cette bague représentait tout ce à quoi Bree et moi nous engagions. C'était un contrat global, en définitive, et je m'estimais le plus chanceux des hommes.

— Ça va, la taille ? s'inquiéta Sharita lorsque Bree l'enfila à son doigt.

Alors que le regard des deux femmes restait fixé sur le bijou, le mien ne pouvait se détacher de Bree.

— Oui, très bien, confirma-t-elle en me pressant la main. Je n'ai jamais rien vu de si beau.

4

En fin d'après-midi, je fis une apparition au quartier général du MPD, installé dans le Daly Building. Le moment était aussi bien choisi qu'un autre pour m'attaquer au flot de paperasse qui semblait inonder mon bureau en continu.

Mais alors que j'arrivais devant la salle de la brigade des enquêtes prioritaires, Perkins, le chef de la police, en sortit avec quelqu'un que je ne connaissais pas.

— Alex ! Parfait, vous m'évitez d'avoir à vous chercher. Vous nous accompagnez ?

Il y avait manifestement quelque chose dans l'air, et rien de bon. Lorsque le chef veut nous voir, c'est nous qui nous déplaçons et non le contraire. Je fis donc demi-tour et me dirigeai avec eux vers les ascenseurs.

— Alex, je vous présente Jim Heekin. Jim est le nouveau directeur adjoint du service de renseignement intérieur au FBI.

En me serrant la main, Heekin déclara :

— J'ai beaucoup entendu parler de vous, inspecteur. Votre retour est une perte pour le FBI, mais une chance pour le MPD.

— Oh, oh... La flatterie n'est jamais bon signe.

Nous éclatâmes de rire, mais c'était vrai. Au FBI, nombre de dirigeants réorganisent tout dès leur arrivée, simplement pour signaler qu'il faut désormais compter avec eux. La question était : en quoi les nouvelles fonctions de celui-ci me concernaient-elles ?

Une fois tous trois installés dans le vaste bureau de Perkins, Heekin devint plus précis.

— Je présume que vous connaissez nos FIG ?

— Field Intelligence Groups, oui bien sûr, même si je n'ai jamais travaillé directement avec eux.

Ces cellules régionales avaient été créées pour développer et partager avec les différentes forces de l'ordre dans leurs juridictions respectives des « produits » liés au renseignement. Si c'était très beau sur le papier, d'aucuns voyaient pourtant cette idée comme une manifestation de la tendance générale du FBI, depuis le 11-Septembre, à se décharger de ses responsabilités en matière d'enquêtes criminelles sur le territoire.

— Comme vous le savez probablement, continua Heekin, le FIG de Washington est en liaison avec tous les services de police de cette région, dont le MPD, ainsi qu'avec la NSA, l'ATF[1], le Secret Service[2], etc. Nous communiquons via des téléconférences mensuelles, mais aussi en personne selon les besoins et les lieux d'action.

Son discours commençait à ressembler à un boniment publicitaire, et j'étais déjà quasi certain de deviner ce qu'il avait à vendre.

— En général, ce sont les chefs de police qui représentent leurs services auprès des FIG, poursuivit-il de sa voix ferme et bien rythmée. Nous aimerions toutefois que vous assumiez ce rôle pour le MPD.

Je regardai Perkins qui fit un geste évasif.

— Que voulez-vous que je vous dise, Alex ? Je suis trop occupé.

— Il vous fait marcher, intervint Heekin. J'en ai discuté avec lui et, avant ça, au FBI, avec le grand patron, M. Burns. Un seul nom est revenu, le vôtre.

— Merci. C'est très gentil, mais je suis bien là où je suis.

— Justement. La brigade des enquêtes prioritaires est le cadre idéal pour cette fonction. Cela devrait au contraire vous faciliter la tâche.

Je compris qu'il ne s'agissait pas tant d'une proposition que d'une affectation déjà décidée. À mon retour dans les forces de police, Perkins m'avait accordé ce

---

1. Bureau of Alcohol, Tobacco, Firearms and Explosives : agence fédérale chargée de la mise en application des lois sur l'alcool, le tabac, les armes et les explosifs, et de la lutte contre leur trafic.

2. Agence fédérale chargée, entre autres, de la protection du président et du vice-président des États-Unis, ainsi que des personnalités étrangères en visite.

que je demandais, sans réserve. Je lui étais redevable, nous en avions tous deux conscience, et lui savait en outre que j'étais du genre à honorer mes dettes.

— Pas de changement de titre, exigeai-je. Je suis avant tout un enquêteur, pas une sorte de bureaucrate.

Derrière son bureau, Perkins eut un large sourire, aussi satisfait que soulagé, semblait-il.

— Accordé, dit-il. Du coup, votre salaire reste le même.

— Et mes enquêtes garderont la priorité sur ce que je serai censé faire par ailleurs ?

— Je ne crois pas que cela posera un problème, répondit Heekin qui se levait déjà, prêt à partir.

Devant la porte, il me serra de nouveau la main.

— Félicitations, inspecteur. Vous venez de prendre du galon.

C'est ça, pensai-je. *Que je le veuille ou non.*

5

Denny ouvrait la marche et Mitch suivait, pareil à l'homme-enfant dans ce vieux bouquin de John Steinbeck, *Des souris et des hommes*.

— C'est là-haut, mon pote. Allez, on se bouge.

Ils montèrent jusqu'au dixième et dernier étage. Des pans de plastique épais fixés à la structure des futures cloisons divisaient l'espace, et un simple contreplaqué brut recouvrait le sol. Devant les fenêtres donnant sur la 18e, des palettes empilées offraient un bon affût.

Ils déposèrent leurs sacs. Après l'avoir déroulée, Denny étala par terre la bâche en plastique. Puis, une main sur le dos de Mitch, il lui montra la porte par laquelle ils étaient entrés.

— Sortie principale, dit-il, avant de faire un quart de tour pour se trouver face à une autre porte. Et sortie secondaire.

Mitch acquiesça de la tête à chaque indication.

— Et si on est séparés ? l'interrogea Denny.

— Essuyer l'arme, la balancer, et te retrouver à la voiture.

— Parfait, mon gars.

Ils avaient répété la procédure une cinquantaine de fois peut-être, du début à la fin. La préparation, c'était la clef. Si Mitch possédait toutes sortes de talents à l'état brut, Denny était la tête pensante de l'équipe.

— Des questions ? C'est le moment de les poser. Après, ça n'aura plus aucune espèce d'importance.

— Non.

La voix de Mitch était à présent mécanique, distante, comme toujours lorsqu'il se concentrait sur autre chose. Il avait déjà placé sur le bipied le M110, équipé d'un silencieux, et ajustait la lunette pour la régler sur zéro.

Denny assembla son M21, qu'il se mit en bandoulière dans le dos. Si tout se déroulait selon ses prévisions, il n'aurait pas besoin de s'en servir mais mieux valait le garder prêt en réserve. Rangé dans son étui, le Walther était attaché à sa cuisse.

À l'aide d'un compas coupe-verre à pointe diamant, il entreprit de découper dans le carreau d'une des fenêtres un disque parfait de cinq centimètres de diamètre, qu'il retira avec une petite ventouse. Dans la rue, les réverbères diffusaient une lumière vive dont la réflexion transformait la fenêtre en miroir pour ceux qui la voyaient d'en bas.

Pendant que Mitch se mettait en position, il nettoya, juste au-dessus et à gauche du trou, une autre petite surface sur la vitre qui lui permettrait de regarder par-dessus l'épaule de Mitch, pratiquement dans le prolongement du canon du fusil. Même leur différence de taille se révélait un avantage.

Il sortit la lunette longue portée de sa boîte. De là-haut, ils avaient une vue dégagée sur l'entrée de la Taberna del Alabardero. Grâce au grossissement par 100 de la lunette, il pouvait presque distinguer les pores de la peau des clients qui franchissaient la porte du restaurant branché.

— Allez-y, mes gorets... Petits, petits, petits, murmura-t-il. Hé, Mitch, tu sais ce que c'est, une farce de porc ?

— Non.

— Une blague cochonne.

— Très bonne, man, approuva Mitch, de la même voix sans inflexion.

Il avait trouvé sa position, un peu bizarre à voir, fesses pointant en arrière, coudes relevés et écartés ; pourtant, elle lui convenait. Une fois en place, il ne bougerait pas ni ne détournerait le regard jusqu'à ce que sa tâche soit terminée.

Denny procéda aux dernières vérifications. Il observa la vapeur qui s'échappait d'une bouche d'aération de l'autre côté de la rue : elle montait droit vers le ciel. La température avoisinait les quinze degrés. Les conditions étaient optimales.

Il ne leur manquait plus qu'une cible, et celle-ci n'allait plus tarder.

— T'es prêt à faire sortir le génie de la bouteille, Mitch ?

— C'est qui, l'Eugénie ?

Denny ricana doucement. Mitch était vraiment unique en son genre.

— C'est la fille de tes rêves, mec. De tes putains de rêves les plus fous.

6

À 19 h 35, une Lincoln Navigator noire se gara devant la Taberna del Alabardero, une cantine très à la mode fréquentée par les stars.

Deux hommes en descendirent par l'arrière, chacun de son côté, et un troisième émergea de l'avant tandis que le conducteur restait dans la voiture. Ils étaient tous vêtus de costumes sombres avec des cravates identiquement ternes.

Des cravates de banquiers, pensa Denny. *On ne me ferait pas porter ça, même à mon enterrement.*

— Les deux qui étaient sur le siège arrière, tu les as ?

— Oui, Denny.

Tout était réglé comme une horloge. Le système de compensation de la lunette de tir contrebalancerait les deux plus importantes sources de déviation pour une balle : le vent, s'il y en avait, et la gravité. Depuis cet angle, le canon pouvait pointer trop haut, mais le réticule guiderait l'œil de Mitch exactement là où il le fallait.

Denny observa les cibles à travers sa propre lunette. Il avait la meilleure place. La deuxième meilleure place, en tout cas.

— Prêt à tirer ?

— Prêt.

— Envoie !

Mitch relâcha lentement son souffle, puis tira deux fois en autant de secondes.

Des traînées de vapeur se dessinèrent dans l'air. L'un des hommes s'écroula sur le trottoir, l'autre fut projeté contre la porte du restaurant. Une vision assez spectaculaire, à dire vrai : deux tirs parfaits, les balles logées précisément à la base des deux crânes.

Dans la rue, c'était déjà l'affolement. Le troisième homme plongea littéralement dans la voiture, tandis que les passants couraient ou s'accroupissaient en se protégeant la tête.

Ils n'avaient plus de quoi s'inquiéter. La mission était accomplie. Mitch avait commencé à démonter sans attendre – aussi rapide qu'un mécanicien de circuit de course.

Denny se dégagea de la bretelle de son M21 dont il retira le chargeur, et entreprit de tout ranger. Quarante secondes plus tard, ils dévalaient l'escalier deux marches à la fois pour rejoindre le rez-de-chaussée.

— Hé, Mitch, tu ne comptais pas te présenter à des élections, par hasard ?

Celui-ci éclata de rire.

— Peut-être un jour, comme président.

— Tu as été parfait, là-haut. Tu peux être fier de toi.

— Je le suis, Denny. Ça fait deux pourritures en moins, ils causeront plus de problèmes à personne.

— Deux gorets morts dans la rue !

Mitch émit des grognements dans une imitation du cochon plutôt réussie, bientôt accompagné par Denny, leurs voix résonnant dans la cage d'escalier. Ils étaient tous deux enivrés par leur succès. *Quel pied !*

— Et tu sais qui sont les héros de l'histoire, hein, Mitchie ?

— Rien que nous, man.

— Carrément. C'est nous qui avons fait ça. Deux héros américains en chair et en os.

7

C'est une scène de confusion totale qui nous accueillit à notre arrivée devant la Taberna del Alabardero. Avant même de descendre de voiture, je compris qu'il ne s'agissait pas d'homicides ou de règlements de comptes ordinaires. Durant le trajet, la radio avait beuglé la nouvelle, parlant de tir longue distance et du fait incroyable que personne n'avait vu le tueur ni même entendu de détonation.

En outre, les victimes étaient des personnalités en vue. Victor Vinton, représentant à la Chambre, et Craig Pilkey, un lobbyiste du secteur bancaire bien connu et dont les agissements avaient récemment mené les deux hommes à défrayer la chronique. Un premier scandale, qui serait bientôt lié à celui que ces crimes allaient déclencher. Oubliée la tranquillité à la section des homicides.

Les deux morts faisaient l'objet d'une enquête fédérale sur un trafic d'influence pour le compte du secteur des services financiers. Certaines allégations portaient sur des accords en coulisse, des financements douteux de campagnes électorales, et des enrichissements soudains (ou accrus) tandis que le nombre de citoyens de la classe moyenne dépossédés de leur logement atteignait un chiffre record. Il n'était pas difficile d'imaginer que quelqu'un ait voulu la mort de Vinton et de Pilkey. Nombreux étaient ceux qui devaient partager ce sentiment.

Toutefois, la motivation ne constituait pas la première question qui me venait à l'esprit. C'était la méthode. Pourquoi un fusil à longue portée, et comment réussir pareil coup si aisément dans une rue bondée de monde ?

Les corps sur le trottoir avaient déjà été recouverts alors que mon ami John Sampson et moi nous dirigions vers l'entrée du restaurant surmontée d'une marquise. La police du Capitole, directement concernée par le décès d'un membre du Congrès, se trouvait déjà sur place, et le FBI était en route. « Grosse huile » signifiant à Washington « grosse pression », la tension croissante était à couper au couteau à l'intérieur du périmètre délimité par le ruban jaune de la police.

L'un de nos collègues, Mark Grieco, rattaché au Troisième District, nous briefa ; le bruit ambiant nous forçait à crier pour nous faire entendre.

— Combien de témoins avons-nous ? l'interrogea Sampson.

— Une douzaine au moins. On les a rassemblés dans le restaurant, tous plus affolés les uns que les autres. Mais aucun d'eux n'a vu le tireur.

— Et les tirs ? demandai-je, penché sur l'oreille de Grieco. On sait d'où ils provenaient ?

Il pointa le doigt par-dessus mon épaule, désignant le haut de la 18e.

— De tout là-bas, c'est à ne pas y croire. On est en train de sécuriser le bâtiment.

Deux pâtés de maisons plus loin, à l'angle nord de K Street, se dressait un immeuble en rénovation. Aucune lumière ne brillait dans les étages à l'exception du dernier, où je distinguais à peine des silhouettes en mouvement.

— Tu plaisantes ! m'exclamai-je. C'est à combien d'ici ?

— Deux cent cinquante mètres, peut-être plus, suggéra Grieco.

Nous partîmes tous les trois au pas de course dans cette direction.

— Tu as parlé de tirs à la tête, c'est bien ça ? demandai-je sur le chemin.

— Ouais, confirma Grieco, l'air sombre. Mortels, sans mauvais jeu de mots. L'individu savait parfaitement ce qu'il faisait. J'espère qu'il n'est pas toujours dans le coin, à nous observer.

— Et il avait un bon équipement, à en juger par la distance, ajoutai-je.

Avec un silencieux, le tireur pouvait passer complètement inaperçu.

J'entendis Sampson marmonner :

— Et merde, cette histoire ne me plaît pas du tout.

Je jetai un coup d'œil derrière moi. De là où je me trouvais, on ne voyait même plus le restaurant, seulement les gyrophares bleus et rouges clignotant autour du pâté de maisons.

Ce mode opératoire, la distance, l'angle impossible, les meurtres eux-mêmes (non pas un tir parfait mais deux, dans une rue très animée) démontraient une audace folle. Selon moi, le but était de nous impressionner et, sur un plan purement professionnel, je l'étais effectivement un peu.

Toutefois, je sentais aussi l'angoisse me serrer le ventre. La grosse tuile que j'appréhendais venait juste de nous tomber dessus.

8

Je rentrai chez moi tard dans la nuit, et pris soin d'éviter, grâce à mes longues jambes, les deuxième et troisième marches grinçantes du perron. Il était 1 h 30 et pourtant dans la cuisine flottait encore une odeur de cookies aux pépites de chocolat. Ils étaient destinés à ma fille Jannie, sa contribution à quelque fête organisée par son école. Je me félicitai d'être au courant, tout en me reprochant de ne pas savoir de quelle fête il s'agissait.

Je chipai un cookie, délicieux, avec une pointe de cannelle dans le chocolat, puis ôtai mes chaussures avant de monter à l'étage à pas feutrés.

Dans le couloir filtrait de la lumière en provenance de la chambre d'Ali ; y jetant un coup d'œil, je découvris Bree endormie à côté du lit. Comme mon benjamin souffrait d'une légère fièvre, elle avait tiré jusque-là le vieux fauteuil en cuir qui nous servait de valet de nuit dans notre chambre.

Un livre emprunté à la bibliothèque, *La Souris et la Moto*, reposait ouvert sur ses genoux.

Le front d'Ali était frais, mais l'enfant avait rejeté ses couvertures dans son sommeil. Truck, son nounours, gisait sur le sol, derrière en l'air. Je le remis dans le lit et les bordai tous deux.

Au moment où je tentai de lui enlever le livre des mains, Bree raffermit sa prise.

— Et ils vécurent heureux et eurent beaucoup d'enfants..., lui murmurai-je à l'oreille.

Elle sourit sans se réveiller, comme si je m'étais faufilé dans son rêve. Pour ne pas l'arracher à un univers si agréable, je la pris dans mes bras et la portai jusqu'à notre lit.

Malgré mon désir de lui ôter son pantalon de pyjama et son tee-shirt, et le reste par la même occasion, je la laissai dormir. Elle était si belle, si paisible ainsi, que je n'eus pas le cœur de changer quoi que ce soit. Du coup, je m'allongeai à mon tour et la regardai un moment. Un très joli tableau.

Inévitablement, toutefois, mes pensées retournèrent à l'enquête en cours, à ce que je venais de voir.

Me revenaient en tête ces jours sombres de 2002[1], la dernière fois que nous avions connu un cas de ce genre. Le mot « sniper » évoque encore aujourd'hui de pénibles souvenirs pour nombre d'habitants de Washington, à commencer par moi. L'affaire actuelle présentait cependant des différences inquiétantes, étant donné le talent de ce nouveau tireur. Par ailleurs, je subodorais un acte plus calculé.

Puis, Dieu merci, je finis par m'endormir. En comptant des corps, au lieu des moutons.

1. En 2002, dans la région de Washington, une dizaine de personnes choisies au hasard furent abattues par John Allen Muhammad et Lee Boyd Malvo.

9

Nana Mama avait déjà le *Washington Post* étalé sur la table lorsque j'entrai dans la cuisine à 5 h 30. Les homicides de la veille étaient en première page, sous la manchette : *Un sniper fait deux morts en centre-ville*.

Ma grand-mère tapota de son doigt osseux le titre en gros caractères comme si je risquais de ne pas le voir.

— Loin de moi l'idée que quiconque, même le pire des rapaces, mérite de mourir, déclara-t-elle tout de go. Cette histoire est réellement terrible. Mais ces deux hommes n'étaient pas des anges, Alex. Les gens vont tirer une certaine satisfaction de ces meurtres, et tu devras faire avec.

— Bonjour à toi aussi, Nana.

Je me penchai pour l'embrasser tout en tâtant par réflexe la tasse de thé placée devant elle. Quand elle est froide, cela signifie que Nana est levée depuis longtemps. Or la tasse n'était même plus tiède. Si je n'aime pas la sermonner, je veille toutefois à ce qu'elle prenne suffisamment de repos, surtout depuis sa crise cardiaque. Elle a beau paraître solide, le fait est qu'elle a dépassé les quatre-vingt-dix ans.

Je versai du café dans un mug thermos avant de m'asseoir pour parcourir l'article. Je m'applique à toujours connaître ce qu'un tueur peut lire sur son propre compte. Rédigé dans un style péremptoire, le récit comportait des erreurs sur plusieurs points importants. Les âneries qu'écrivent des personnes soi-disant intelligentes ne m'intéressent jamais ; sous mes yeux se trouvait un nouvel exemple d'informations qu'il valait mieux dédaigner.

— Ce n'est finalement qu'un jeu de dupes, enchaîna Nana, échauffée par le sujet. Quelqu'un se fait prendre la main dans le pot de confiture et nous réagissons tous comme si ceux qui font la une étaient les seuls à s'écarter du droit chemin. Tu crois que ce membre du Congrès est le premier à avoir accepté un pot-de-vin à Washington ?

Je dépliai bruyamment le journal pour lire la suite en page vingt.

— Quel dommage de perdre son optimisme, Nana.

— Ne sois pas insolent avec moi si tôt le matin. De plus, je demeure une optimiste, mais il se trouve que j'ai les yeux grands ouverts.

— Et ils sont restés ouverts toute la nuit ? répliquai-je un peu maladroitement.

Mieux vaut tenter de faire avaler aux enfants des légumes avec leurs macaronis au fromage que de questionner Nana sur sa santé. Il faut être rusé si l'on veut obtenir quelque chose et, en général, on n'arrive à rien de toute façon.

Comme prévu, elle éleva la voix pour bien marquer que ma question avait été entendue et n'obtiendrait pas de réponse.

— Voici un autre élément de réflexion pour toi. Comment se fait-il que les victimes de meurtre auxquelles on s'intéresse dans cette ville soient toujours pauvres et noires ou bien riches et blanches ? Dis-moi, Alex ?

— C'est malheureusement un sujet de conversation qui nécessite plus de temps que je n'en ai ce matin.

Alors que je repoussais ma chaise, Nana fit un geste pour m'arrêter.

— Où vas-tu si tôt ? Laisse-moi te préparer des œufs... Et où emportes-tu ce journal ?

— Je veux étudier de plus près cette affaire au bureau avant mon premier entretien. Pourquoi ne t'en tiens-tu pas à la rubrique « Spectacles » pendant quelque temps ?

— Ah, parce qu'il n'y a pas de racisme à Hollywood, peut-être ? Ouvre donc les yeux !

Avec un rire, je l'embrassai et chipai un autre cookie, dans le même mouvement.

— Tu es incroyable ! Passe une bonne journée, Nana. Je t'adore !

— Ne sois pas condescendant, Alex. Moi aussi, je t'adore.

10

À 10 heures, je me trouvai dans le bureau de Sid Dammler, l'un des deux associés principaux du cabinet de lobbying Dammler-Mickelson, situé dans L Street. Craig Pilkey avait été l'un de leurs meilleurs « faiseurs de pluie », comme on les appelle dans ce milieu, et avait rapporté onze millions de dollars en honoraires l'année précédente. D'une façon ou d'une autre, sa disparition allait se faire sentir.

Pour l'instant, le commentaire officiel du cabinet était qu'il « n'avait aucune connaissance » d'une quelconque malversation commise parmi les employés. Dans le manuel de règles tacites de Washington, c'est en général le code utilisé pour se couvrir sans se mettre dans une situation délicate sur le plan juridique.

Si je n'avais initialement aucun préjugé contre Dammler, mon état d'esprit changea après quarante minutes d'attente à l'accueil suivies de vingt autres passées à écouter ses réponses monosyllabiques et évasives. À voir ses traits crispés, j'aurais pu lui arracher une dent que ça aurait été moins douloureux.

J'avais rassemblé au préalable des informations que je lui récapitulai. Avant de rejoindre le cabinet, Craig Pilkey, originaire de Topeka dans le Kansas, avait effectué trois mandats de deux ans au Congrès, où il s'était forgé une réputation de porte-parole du secteur bancaire au Capitole. Surnommé officieusement le « Déréglementateur », il avait présenté ou appuyé pas moins de quinze projets de lois distincts visant à étendre le champ d'application des droits des organismes de crédit.

D'après le site Internet du cabinet, la spécialité de Pilkey consistait à aider les sociétés de services financiers à « naviguer au sein du gouvernement fédéral ». Au moment de sa mort, il avait pour plus gros client, et de loin, un groupement de douze banques de taille moyenne disséminées dans le pays et représentant un capital de plus de soixante-dix milliards de dollars. Or ces banques étaient justement celles qui avaient financé la campagne électorale de l'autre victime, Vinton, déclenchant ainsi l'enquête fédérale en cours.

— Pourquoi me racontez-vous tout cela sur Craig et sur notre cabinet ? me demanda Sid Dammler, qui jusque-là n'avait réagi d'aucune manière à mon résumé.

— Parce que, sans offenser sa mémoire, je suis contraint de penser qu'un certain nombre de personnes vont se réjouir de la mort de Craig Pilkey.

Dammler parut profondément indigné.

— Ce sont des propos odieux.

— Qui aurait eu intérêt à le tuer ? Vous n'en avez aucune idée ? Je sais qu'il avait reçu des menaces.

— Personne ! Oh, pour l'amour de Dieu !

— J'ai du mal à le croire. Vous ne nous aidez pas beaucoup à trouver son meurtrier.

Il se leva brusquement. La rougeur de son visage et de son cou ressortait sur la blancheur du col serré de sa chemise.

— Nous en avons terminé, déclara-t-il.

— Rasseyez-vous. S'il vous plaît.

J'attendis qu'il ait repris sa place.

— Je comprends que vous ne souhaitiez pas donner à vos détracteurs encore plus d'occasions de vous faire de la mauvaise publicité. Votre cabinet s'occupe de relations publiques, c'est clair. Mais je ne suis pas un journaliste du *Washington Post*. Je dois savoir quels étaient les ennemis de Craig Pilkey, et ne me dites pas qu'il n'en avait aucun.

Dammler s'enfonça dans son fauteuil, les mains derrière la tête, l'air d'attendre qu'on lui passe les menottes.

— Eh bien, vous pourriez commencer par les associations de propriétaires. Ce n'étaient pas vraiment des fans de Craig, finit-il par répondre avec un soupir et un coup d'œil ostensible à sa montre. Il y a aussi le lobby des consommateurs dans son intégralité, les blogueurs cinglés, les auteurs anonymes d'e-mails vindicatifs. Vous avez le choix. Interrogez Ralph Nader[1] pendant que vous y êtes.

— Avez-vous regroupé ces données quelque part ? demandai-je sans relever le sarcasme.

— Dans la mesure où elles concernent nos clients, bien sûr. Mais il vous faudra un mandat avant que j'envisage de vous laisser vous en approcher. Tout ceci est d'ordre privé, ce sont des renseignements confidentiels.

Je plaçai deux liasses de documents sur son bureau.

— J'avais prévu votre réaction. Voici un mandat pour les dossiers, et un autre pour les e-mails. Je voudrais commencer par le bureau de Pilkey. Vous n'êtes pas obligé de me montrer le chemin, je le trouverai bien tout seul.

11

Cher Enfoiré,

J'ESPÈRE QUE TU ES content de toi. Peut-être qu'un jour toi aussi tu perdras TON boulot et TA baraque, et tu auras

1. Avocat et célèbre défenseur des consommateurs et de l'environnement, quatre fois candidat aux élections présidentielles aux États-Unis.

alors une PUTAIN D'IDÉE de ce que tu fais subir à des personnes innocentes qui vivent, elles, dans le monde RÉEL.

Je retrouvai cette même veine dans nombre de lettres. C'est un fait : quand la fureur les tient vraiment, les gens deviennent grossiers !

Les expéditeurs étaient en colère, déçus, menaçants, dévastés, enragés ; toute la gamme des sentiments y passait. Mon mandat était valable jusqu'à 22 heures, mais une nuit entière dans le bureau de Pilkey ne m'aurait pas suffi à lire tous ces messages de haine.

Au bout d'un moment, lassé des allées et venues du personnel curieux, je fermai la porte et continuai mon tri.

Le courrier provenait de tout le pays, quoiqu'en majorité du Kansas, d'où Pilkey était originaire. On y relatait des drames variés, perte de domicile ou d'économies de toute une vie, familles éclatées ; il s'agissait de victimes en tout genre de la crise financière, et qui blâmaient principalement K Street, centre névralgique des lobbies, et le gouvernement à Washington.

Les billets des blogueurs, du moins ceux que le cabinet avait archivés, se montraient plus radicaux, à tendance politique plutôt que personnelle. L'un des auteurs, l'Union pour la responsabilisation des pouvoirs publics, semblait mener la charge. Ce groupe, qui se limitait peut-être à un gars tout seul dans son sous-sol, tenait une rubrique appelée « Luttons contre le pouvoir », dont le dernier article s'intitulait *Robin du gratin : voler les pauvres pour donner aux riches*.

Grâce aux principes du marché libre, qui leur sert de couverture en Téflon, les membres du « Cercle » de

Washington, soit les lobbyistes du secteur bancaire et nos chers élus, ne cessent de donner des blancs-seings à leurs bons copains, les financiers. Eh oui, ceux-là mêmes qui ont mis à genoux l'économie de ce pays continuent à être traités comme des princes au Capitole, et devinez qui paye l'addition ? Vous ! C'est de vos impôts, de votre argent que je parle. Chez moi, on appelle cela du vol, et c'est en train de se passer sous vos yeux.

Cliquez ici pour obtenir les adresses et les numéros de téléphone de certains des pires requins de la finance à Washington. Passez-leur donc un coup de fil à l'heure du dîner un soir, et dites-leur ce que vous ressentez. Mieux encore, attendez qu'ils s'absentent et profitez-en pour vous introduire chez eux et rafler leur fric durement gagné. On verra s'ils apprécient.

D'une certaine façon, l'élément le plus inattendu dans le bureau de Pilkey était sa collection d'articles de presse sur le scandale le concernant. Sur sa table de travail, rangé dans une chemise non étiquetée, se trouvait encore un récent éditorial du *New York Times* :

Pilkey et Vinton font tous deux l'objet de ce qui va, à n'en pas douter, se transformer encore une fois en une longue, interminable enquête qui n'apportera aucune preuve, ne donnera lieu à aucune sanction, et aura pour résultat d'affaiblir au contraire la protection de celui qui importe le plus, à savoir monsieur Tout-le-Monde, qui s'efforce seulement de joindre les deux bouts.

Ainsi, sans surprise, Pilkey avait plus que sa part d'ennemis. Question pistes, on était dans l'excès plutôt que dans le manque. Tout ce que j'avais lu ne constituait que la partie émergée de l'iceberg.

Je répertoriai les menaces spécifiques, mais la pile grossissait et la liste des suspects promettait d'être ridiculement longue.

Une évidence s'imposait déjà à moi : il nous faudrait renforcer l'équipe.

12

Ce foyer pour sans-abri situé dans la 13e inspirait à Denny une haine qui lui donnait presque des envies de meurtre, en particulier ce soir-là. Faire la queue sur le trottoir pour obtenir un lit l'emmerdait royalement, surtout quand le reste de la ville était plongé dans l'hystérie à cause de leurs deux tirs de snipers parfaits, dans la 18e. Quel pied ! Et quelle bonne soirée gâchée alors que Mitch et lui auraient dû célébrer leur succès en ce moment.

Évidemment, il était plus judicieux que jamais qu'on les voie agir selon leurs habitudes, aussi était-ce exactement ce qu'ils faisaient.

Comme toujours, Mitch se collait à lui, agité de ces mouvements saccadés de la tête et des genoux qui trahissaient son excitation. Il se fondait d'autant mieux dans la masse des autres barjots qui se considéraient comme chez eux dans cet endroit ; cela ne posait aucun problème, tant qu'il n'ouvrait pas sa grande gueule.

— Ne parle à personne. Ne te fais pas remarquer et dors un peu, lui ordonna-t-il pendant qu'ils entraient tous dans le dortoir en file indienne, telle une armée de zombies.

— Je causerai de rien, Denny, mais tu sais quoi, j'aimerais mieux être en train de téter une petite bouteille de Jim Beam, là maintenant.

— La fête commence demain, Mitchie. C'est promis.

Lui laissant pour une fois la couchette du bas, Denny s'installa en haut, perchoir idéal pour garder un œil sur la chambrée et sur son compagnon.

Bien lui en prit car, peu après l'extinction des feux, Mitch se releva. *Quoi encore ?*

— Où tu vas, mec ? chuchota-t-il.

— Faut que j'aille pisser. Je reviens tout de suite.

Mû par un souci de prudence accru, sans pour autant tomber dans la paranoïa, Denny se redressa, attendit une minute, puis le suivit, histoire de se rassurer.

Le couloir était désert. À l'origine, les lieux abritaient une école primaire, avec des casiers destinés aux cartables, et autres affaires des enfants. Désormais, des adultes s'en servaient pour y entreposer le peu qu'ils possédaient en ce monde.

Un monde de merde, d'ailleurs ! Aucun doute là-dessus.

Quand il pénétra dans la salle d'eau, toutes les douches étaient en marche mais il n'y avait personne sous les jets. Mauvais signe. Ce n'était pas bon du tout.

Il les contourna pour rejoindre le coin des lavabos et découvrit deux grands types plaquant Mitch contre le mur. Il les reconnut immédiatement : Tyrone Peters et

Cosmo Lantman, dit « le Coz ». Le parfait genre d'ordures qui poussaient les gens corrects à dormir dans la rue plutôt qu'à se risquer dans l'un de ces foyers. Les poches de Mitch étaient retournées et quelques pièces de monnaie traînaient encore à ses pieds sur le carrelage.

— C'est quoi le problème ? demanda Denny.

Sans même tourner la tête pour voir qui arrivait, Tyrone répliqua :

— Y a aucun problème. Maintenant, barre-toi d'ici !

— Ah ouais ? J'en ai pas envie.

Cosmo défia Denny du regard et s'approcha, ramassé sur lui-même. Ses mains fermées cachaient manifestement quelque chose.

— Tu veux participer ? Ça marche, lança-t-il.

Puis, tout en lui comprimant la gorge du pouce et de l'index, il pointa une lame recourbée sous le nez de Denny.

— Voyons ce que tu as à offrir...

À la vitesse de l'éclair, la main de Denny agrippa le poignet de Cosmo et le tordit vers l'arrière jusqu'à ce que le salopard soit forcé de se plier en deux pour éviter de se faire casser le bras. Il fut ensuite simple comme bonjour de lui arracher son couteau et de le lui planter vite fait trois fois dans les fesses ; et ce n'était qu'un avertissement, le foie aurait été tout aussi facile à atteindre. Cosmo s'affala par terre, inondant le sol de sang.

Pendant ce temps, Mitch était devenu enragé. Les bras refermés autour de la taille épaisse de Tyrone, il le poussa violemment contre le mur opposé. L'autre lui décocha deux directs rapides dans le nez, qui se mit à saigner abondamment ; mais comme ce crétin de Tyrone avait gardé la bouche grande ouverte, Mitch y enfonça la main et lui releva la mâchoire supérieure jusqu'à ce qu'il perde l'équilibre. Pour faire bonne mesure, Denny attrapa Tyrone par la braguette et le fit pivoter d'un quart de tour pour qu'il se cogne le visage sur un lavabo en tombant, laissant quelques dents et une large traînée rouge sur la porcelaine sale de la vasque.

Ils récupérèrent l'argent de Mitch et prirent au passage ce que Tyrone et Cosmo avaient sur eux, puis Denny traîna les deux voyous dans les douches.

Mitch se mit à pavoiser dans le couloir, l'œil presque pétillant malgré le sang qui coulait de ses lèvres sur son tee-shirt.

— Ces connards ne savent pas à qui ils ont affaire !

— Et c'est très bien comme ça, lui rappela Denny.

Il avait souhaité qu'on les voie ce soir-là au foyer, mais à ce stade, l'objectif était largement atteint.

— Bon, tu sais quoi ? Ramasse ton barda, Mitchie. On va te la chercher, cette bouteille de Jim Beam.

13

Comme nombre de membres de la confrérie des forces de l'ordre, Steven Malinowski, agent spécial du FBI, était divorcé. Installé à Hyattsville dans le

Maryland, il vivait seul – à l'exception des visites de ses deux filles, un week-end sur deux et un mois en été – dans une petite maison sans étage, assez correcte vue de l'extérieur mais à l'intérieur plutôt minable.

Par conséquent, rien ni personne ne l'attendait chez lui, et il ne rentra qu'à 23 h 30 cette nuit-là. Lorsqu'il descendit de sa Range Rover, sa démarche trahissait les quelques bières et les deux whiskys bus dans la soirée. Il n'était pas saoul pour autant. Seulement éméché, comme après une sortie entre garçons.

— Hé, Malinowski !

Il sursauta violemment et plongea la main dans le holster dissimulé sous sa veste.

— Ne tire pas, c'est moi !

Kyle apparut à l'angle du garage et se plaça sous la lumière diffusée par le réverbère de la rue juste assez longtemps pour donner un aperçu de son visage.

— Steve, c'est moi, Max Siegel.

Malinowski le scrutait les yeux plissés, gêné par la pénombre.

— Siegel ? Nom d'un chien, mais que... ? s'exclama-t-il, laissant retomber le pan de sa veste. Merde, j'ai failli avoir une crise cardiaque à cause de toi. Qu'est-ce que tu fiches ici ? Je ne sais même pas quelle heure il est.

— On peut discuter à l'intérieur ? suggéra Kyle.

La dernière conversation entre Malinowski et Siegel devait remonter à trois ans ; il fallait que la voix soit convaincante, sinon parfaite.

— Je vais passer par derrière, d'accord ? Tu m'ouvriras.

L'agent balaya la rue du regard.

— Ouais, ouais, bien sûr.

Avant de laisser entrer son visiteur par la porte coulissante vitrée de la cuisine, il éteignit les lumières en façade et baissa tous les stores. Seule la lampe de la hotte au-dessus de la cuisinière était allumée.

Il rangea son arme dans un tiroir, puis sortit deux bouteilles de bière du réfrigérateur. Il en tendit une à Kyle.

— Raconte, Siegel. Que se passe-t-il ? Qu'est-ce que tu fais là à cette heure ?

Kyle refusa la bière. À moins d'y être obligé, il voulait toucher le moins de choses possible.

— L'opération avec le cartel est grillée, expliqua-t-il. Je ne sais pas comment, mais ils ont découvert qui j'étais. Du coup, il m'a fallu abandonner, je n'avais pas d'autre choix.

— Tu as une sale gueule, d'ailleurs. Ces bleus autour des yeux...

— Oh, tu aurais dû me voir la semaine dernière ! Deux des hommes de main d'Arturo Buenez m'ont salement tabassé.

Kyle tapota le sac de toile kaki qu'il portait sur le dos. Il contenait le pistolet paralysant et son réservoir d'eau, enveloppés dans une épaisse couverture.

— Et voilà tout ce que j'ai réussi à emporter.

— Pourquoi n'as-tu pas donné l'alerte ?

C'était justement ce que Kyle n'avait jamais pu découvrir : par quel moyen Max Siegel devait prendre contact avec son agent traitant en cas d'urgence.

— J'ai déjà eu de la chance de m'en sortir. Je suis resté planqué en Floride jusqu'à ce que je puisse venir ici. Fort Myers, Vero Beach, Jacksonville.

Peut-être à cause de la bière, Malinowski semblait ne pas remarquer que Kyle avait éludé sa question. Comment aurait-il pu fournir une réponse qu'il ne connaissait pas ?

— Bon, à qui d'autre devrais-je m'adresser ?

— Personne, répondit Malinowski en secouant la tête.

— Même pas à la DEA[1] ? Quelqu'un à Washington ?

— Il n'y a personne, Max. Tu étais là-bas en mission officieuse. (Il le fixa soudain, étonné.) Tu devrais pourtant le savoir !

— Hé, lâche-moi un peu. Je suis amoché de partout. Regarde-moi.

Kyle fit un pas vers Malinowski qui se tenait adossé contre la cuisinière.

— Sérieusement, regarde-moi. Tu ne remarques rien ?

— Tu as en effet besoin de te reposer, Max, admit l'agent, avec une moue de compassion. C'est bien que tu sois là.

À l'évidence, Malinowski n'avait pas la moindre idée de ce qui se passait. C'était décidément trop drôle pour arrêter tout de suite.

— Steve, j'ai rencontré Kyle Craig.

— Quoi ? Attends un peu… *Kyle Craig ?*

Kyle écarta les bras, un sourire aux lèvres.

— Lui-même, en chair et en os.

— Je ne saisis pas. Quel est le rapport avec… ?

---

1. Drug Enforcement Administration : agence fédérale chargée de la lutte contre le trafic de drogue.

Malinowski semblait perdu dans sa réflexion. Au moment précis où il parut enfin comprendre, Kyle passa à l'action. Son Beretta écrasa le menton de l'agent avant même que celui-ci n'ait conscience de ce qui lui arrivait.

— Incroyable, non, ce qu'on réussit à faire de nos jours avec la chirurgie esthétique, railla Kyle.

La bouteille de bière à demi bue de Malinowski tomba sur le sol avec un bruit sourd.

— Qu'est-ce que tu veux dire ? C'est... impossible !

— Je suis sûr que si, à quatre-vingt-dix-neuf pour cent, répliqua Kyle. À moins que je m'imagine tout ça. Considère que c'est un honneur, Steve. Tu es le premier et le dernier à savoir à quoi je ressemble aujourd'hui. Te sens-tu honoré ?

Comme Malinowski ne réagissait pas, il lui enfonça plus profondément le pistolet dans le menton.

— Oui ou non ? insista-t-il.

L'agent opina de la tête.

— Dis-le, s'il te plaît.

— Je suis... honoré.

— Bien. Alors voici ce qui va se passer. On va aller dans la salle de bains à l'autre bout de la maison et tu te mettras dans cette baignoire crasseuse que tu ne nettoies jamais. (Il tapota de nouveau le sac sur son dos.) Ensuite, je déballerai mes affaires et nous poursuivrons cette petite conversation. J'ai besoin de connaître certains détails au sujet de Max Siegel.

14

Kyle attendit deux jours de plus, passant ses nuits aux environs de Washington, dont une partie à s'envoyer en l'air au Princess Hotel. Puis il fit réapparaître Max Siegel au grand jour, une fois pour toutes.

Quelle sensation incroyablement grisante que de dépasser le poste de garde familier, au volant de la nouvelle BMW en leasing de Siegel, pour aller se garer dans le parking souterrain du Hoover Building. Le site était ultrasécurisé, et voilà que les gardes autorisaient d'un geste le criminel le plus recherché des États-Unis à pénétrer dans le siège du FBI.

Sublime !

Grâce au badge de Siegel, Kyle fut envoyé directement au cinquième étage, dans l'une des salles de réunion du centre des opérations et des informations stratégiques, le SIOC, qui surplombait Pennsylvania Avenue. Là l'attendaient deux représentants de la section de lutte contre les gangs et le crime organisé, un délégué du service de renseignement intérieur, un directeur adjoint, responsable de l'antenne régionale de Washington, et une directrice adjointe du siège même.

C'était manifestement cette dernière, une certaine Patty Li, qui dirigeait la réunion.

— Je sais que vous traversez une période éprouvante, agent Siegel, toutefois nous devons vous mettre au courant. Votre agent traitant, Steven Malinowski, est mort il y a deux jours.

Kyle conserva un calme professionnel, teinté de la bonne dose d'émotion.

— Oh, mon Dieu ! Que lui est-il arrivé ?

— Apparemment, il a été foudroyé par une crise cardiaque sous la douche, chez lui.

— C'est incroyable ! Je suis allé chez lui hier. J'ai frappé à sa porte...

Il s'interrompit et passa une main sur son nouveau visage à un million de dollars. Le maître de la comédie dans son meilleur rôle.

— Vous avez bien fait de nous contacter directement, continua Li. Dès que vous aurez rédigé votre rapport et été débriefé, je vous accorderai un congé administratif...

— Non, l'interrompit Kyle, qui se redressa en la regardant droit dans les yeux. Excusez-moi, mais c'est la dernière chose dont j'ai besoin en ce moment. Je suis prêt à reprendre le collier.

— Il faut vous réadapter. Faites la grasse matinée, allez voir un match, ce que vous voulez. Il y a des années que vous êtes dans la peau d'un autre, Max. Ça laisse des traces.

C'était comme de déguster du caviar, s'envoyer en l'air et rouler à cent quatre-vingt-dix phares éteints, tout cela en même temps. Et le plus beau, c'était que ces gentils guignols du FBI, ou Bureau Fédéral des Incapables, avalaient n'importe quelle couleuvre.

— Sauf votre respect, déclara-t-il à l'intention de tous, il me semble que mes états de service parlent pour moi. Si nécessaire, faites-moi passer une évaluation d'aptitude au service, mais ne me mettez pas sur la touche. Je veux travailler. Croyez-moi, c'est ça dont j'ai besoin.

Quelques regards s'échangèrent autour de la table. L'un des types de la section antigang haussa les épaules et referma le dossier placé devant lui. La décision revenait à Li.

— Juste pour le principe, qu'aviez-vous en tête ? demanda celle-ci.

— Je pense avoir droit à un poste de SSA, répondit Kyle avec sincérité. Voilà ce que je voudrais.

— Agent spécial superviseur ? Je vois que vous n'avez rien perdu de votre ambition.

— J'aimerais également rester ici, à Washington, et de préférence dans l'antenne régionale. À mon avis, c'est là que je ferai le plus de dégâts.

Une touche d'autodérision pour finir de les appâter.

On ne lui ferait aucune promesse aujourd'hui, mais Kyle sentait que c'était dans la poche. Et même si elle n'était pas indispensable, une affectation à l'antenne régionale représenterait la cerise sur le gâteau.

Le bâtiment se trouvait au coin de Judiciary Square, à deux pas du Daly Building. Alex et lui pourraient pratiquement tendre un fil entre leurs bureaux respectifs pour échanger des messages et rattraper les années perdues. La situation serait trop drôle…

Ce n'était plus qu'une question de temps avant qu'ils se rencontrent à nouveau.

15

Pour accélérer le processus dans l'affaire du sniper, j'offris deux billets pour le prochain match des Washington Nationals à la section d'analyse d'empreintes digitales. J'obtins quelques résultats le matin même.

Une empreinte avait été trouvée sur la vitre, pourtant fraîchement nettoyée, de la fenêtre d'où étaient partis les tirs. Par ailleurs, elle concordait avec deux autres empreintes relevées dans le bâtiment, l'une sur la rampe d'escalier entre le huitième et le neuvième étage, l'autre sur la barre antipanique d'une porte en acier au rez-de-chaussée, par laquelle le tireur avait dû vraisemblablement sortir.

Voilà pour la bonne nouvelle, ou du moins la plus intéressante. La mauvaise, c'était que notre empreinte ne correspondait à aucune des dizaines de millions enregistrées dans la base de données de l'IAFIS, le fichier automatisé d'empreintes digitales géré par le FBI. Notre meurtrier inconnu n'avait donc pas de casier judiciaire qui aurait pu nous apporter des éléments utiles à son arrestation.

Aussi déployai-je plus largement mon filet. Je m'étais récemment rendu en Afrique, à la poursuite d'un tueur sanguinaire qui se faisait appeler le « Tigre ». Cette affaire m'avait donné l'occasion de nouer de bonnes relations avec un nommé Carl Freelander. En poste à la division des enquêtes criminelles dans l'armée, il avait été détaché à l'antenne du FBI à Lagos, au Nigeria, dans le cadre d'un partenariat pour la lutte contre le terrorisme. J'espérais qu'il serait en mesure de m'aider à gagner du temps dans mon enquête.

À Lagos, l'après-midi touchait à sa fin quand je joignis Freelander sur son portable.

— Carl, ici Alex Cross. J'appelle de Washington. Je commence par le service que j'ai à te demander et on bavarde après ?

— Ça me va, Alex, la causette en moins si tu veux bien. Que puis-je pour toi ?

C'était l'une des raisons qui me faisaient apprécier Carl ; il travaillait de la même façon que moi.

— J'ai une empreinte dans un homicide, deux tirs mortels à deux cent cinquante mètres. Le type a manifestement reçu une formation, sans parler d'un bon équipement, et je me demandais si par hasard il n'y aurait pas un lien avec l'armée.

— Laisse-moi deviner. Tu aimerais une recherche prioritaire dans la base de données du fichier national ?

— En quelque sorte.

— Bon, d'accord. Je vais transmettre l'empreinte à la CJIS. Cela ne devrait pas prendre trop de temps.

La Criminal Justice Information Services est une division du FBI installée à Clarksburg, en Virginie-Occidentale. Situation absurde par excellence : passer un coup de fil à l'autre bout du monde pour obtenir quelque chose qui se trouve juste à côté. Ce ne serait ni la première ni la dernière fois.

Moins de deux heures plus tard, Carl me rappelait avec des nouvelles décourageantes.

— Ton type n'appartient pas à l'armée des États-Unis, Alex. Pareil pour le FBI et le Secret Service. Et j'espère que tu ne m'en voudras pas mais, pendant que j'y étais, j'ai aussi fait consulter ABIS, le fichier automatisé de données biométriques, à la Défense. Aucune trace d'incarcération au sein de l'armée, et ce n'est pas non plus un ressortissant étranger ayant eu accès à l'une de nos bases militaires. Je ne sais pas si cela t'avance.

— Cela écarte au moins quelques-unes des pistes les plus évidentes. Merci, Carl. La prochaine fois que tu viens à Washington…

— On boit un verre, et tout le reste, promis. Ça me fera plaisir. Porte-toi bien, Alex.

Mon appel suivant fut pour Sampson, que j'informai de ma maigre récolte.

— Ne t'inquiète pas, ma poule, on démarre à peine, me rassura-t-il. Il est possible que cette empreinte ne provienne pas de notre bonhomme. La scène de crime grouillait de gens de chez nous, l'autre soir, et tu peux parier qu'ils ne portaient pas tous des gants.

— En effet, admis-je.

Une nouvelle hypothèse se formait déjà dans mon esprit.

— John, j'ai une idée. Et si c'était bien celle du tireur, et qu'il désirait qu'on la trouve ? C'est peut-être ça qui l'éclate, de savoir qu'on va perdre notre temps à suivre cette piste…

— Oh non. Non, non, non !

Sampson devinait exactement où je voulais en venir.

— Ce qui lui donne justement la confiance dont il aura besoin… au moment de recommencer, conclus-je.

16

Lorsque Bree termina son service en fin d'après-midi, je l'attendais dehors devant le poste de police de Pennsylvania Avenue où elle avait son bureau. Je brûlais d'envie de la voir et j'arborai un sourire radieux quand elle apparut enfin à la porte du bâtiment.

— Quelle agréable surprise ! s'exclama-t-elle.

Elle m'embrassa ; nous n'essayions plus de rester discrets dans notre cadre professionnel.

— Que me vaut ce plaisir ? Tu me gâtes !

— Pas de questions, dis-je en lui ouvrant la portière de ma voiture. Je veux te montrer quelque chose.

J'avais tout organisé depuis un bon moment et, en dépit de ma charge de travail qui s'accumulait de nouveau, j'étais trop têtu pour abandonner mes plans. J'empruntai North Capitol Street, puis Michigan Avenue jusqu'au campus de l'Université catholique d'Amérique, où je me garai.

Bree fixa à travers le pare-brise la haute bâtisse qui se dressait face à nous.

— Hum, Alex ? Quand nous parlions d'une petite cérémonie de mariage, j'aurais dû être plus précise.

La basilique du sanctuaire national de l'Immaculée Conception est l'une des dix plus grandes églises au monde et, à mon avis, la plus magnifique de Washington, peut-être de tout le pays.

— Ne t'inquiète pas, c'est juste une visite. Viens !

— D'accord, Alex… Si tu le dis.

L'architecture, de style romano-byzantin, a beau être plus qu'imposante, il règne dans ces murs une atmosphère étonnamment paisible. Les arches majestueuses vous font vous sentir minuscule, tandis que les mosaïques dorées composées de millions de pièces diffusent partout une lumière ambrée que je n'ai jamais vue ailleurs.

Je pris la main de Bree pour lui faire traverser le transept par l'une des allées latérales, jusqu'au bout de la nef dont le mur du fond est percé de vitraux cintrés ; de cet endroit spacieux, la basilique était visible dans toute sa longueur.

— Bree, peux-tu me montrer ta bague ?

— Ma bague ?

Avec un sourire étonné, elle me la tendit, puis je mis un genou à terre et lui repris la main.

— Est-ce une demande en mariage ? Parce que j'ai un scoop pour toi, mon cœur : tu me l'as déjà faite.

— Alors devant Dieu, cette fois.

Je respirai profondément, soudain conscient d'être un peu nerveux.

— Bree, je n'avais pas besoin de toi avant notre rencontre. Je pensais m'en sortir assez bien, en fait c'était le cas. Mais à présent… te voilà dans ma vie, et j'en viens à croire que c'est pour une raison.

Je n'avais pas préparé mon discours, et je sentais les mots me résister, sans parler de la boule qui obstruait ma gorge.

— Tu me donnes la foi, Bree. Il m'est difficile d'expliquer ce que cela signifie pour quelqu'un comme moi, mais j'espère que tu me laisseras passer le reste de ma vie à essayer. Brianna Leigh Stone, veux-tu m'épouser ?

Son sourire cachait mal les larmes qu'elle retenait. Même dans cette situation, elle tentait de jouer les dures.

— Tu es vraiment un peu fou. Tu le sais, hein ?

Je fredonnai d'une voix de crooner le célèbre tube des années 1970 :

— *If lovin' you is wrong, I don't want to be right.*

— D'accord, d'accord, mais à condition que tu ne chantes pas !

Nous nous mîmes à pouffer, pareils à des gamins en train de faire les pitres dans une bibliothèque. Pourtant, c'était un rire mêlé de larmes d'émotion.

Bree s'agenouilla à son tour, plaça avec douceur sa main sur la mienne et enfila la bague de fiançailles. Quand elle m'embrassa délicatement, une onde de chaleur et un frisson coururent le long de ma colonne vertébrale.

— Alexander Joseph Cross, tu peux me le demander autant de fois que tu le souhaites, ma réponse est oui. Elle l'a toujours été et le sera toujours.

17

L'idiot romantique que je suis n'en avait pas terminé. Au sortir de la basilique, je nous ramenai au centre-ville pour l'étape suivante, le Park Hyatt, où nous allions passer la nuit. J'avais prévenu Nana que nous ne rentrerions pas.

Après que le chasseur nous eut laissés dans notre suite, Bree regarda autour d'elle.

— Alex, combien cela va-t-il coûter ?

Une bouteille de Prosecco attendait dans un seau à glace. Je lui servis un verre.

— Eh bien, je ne suis pas sûr qu'on ait encore les moyens de payer les études de Damon après ça, mais la vue est super, non ?

Prenant place au piano demi-queue, véritable raison de ma préférence pour cet hôtel, je commençai à jouer. Je me cantonnais à de vieux standards, des chansons d'amour telles que *Night and Day* ou *Someone to Watch Over Me*, dont chacune comportait un petit message que je destinais à Bree. À sa demande, je m'abstenais la plupart du temps de chanter.

Elle s'était assise près de moi sur la banquette du piano et m'écoutait en sirotant le vin.

— Qu'ai-je donc fait pour mériter tout ceci ? finit-elle par dire.

— Oh, ça tu vas bientôt le savoir. Quelque chose comme enlever tous tes vêtements. Un par un. Très lentement.

Mais d'abord, nous nous fîmes servir en chambre un dîner commandé au restaurant de l'hôtel, le Blue Duck Tavern ; nous partageâmes chaque plat : salade d'oranges et de roquette, carpaccio de thon albacore, jeunes crabes, moelleux au chocolat pour deux.

Pour accompagner le dessert, j'avais débouché une bouteille de champagne Cristal, que nous finîmes de déguster dans la vaste baignoire en marbre.

— Je me sens déjà en lune de miel. D'abord une église, ensuite cette soirée, déclara Bree.

— Considère ça comme une avant-première, dis-je en promenant un savon à la lavande sur son dos, puis sur ses longues jambes. Juste un aperçu de l'avenir.

— Hmm, j'aime cet avenir.

Ses lèvres sur mon épaule, elle me mordit doucement quand j'abandonnai le savon pour me servir de mes mains.

Après un moment, nous basculâmes hors de la baignoire. À défaut d'une peau d'ours, j'improvisai un tapis à l'aide des deux peignoirs moelleux de l'hôtel, et nous passâmes les heures suivantes à tenter de nous rassasier l'un de l'autre.

La première fois que je la menai à l'orgasme ce soir-là, Bree renversa la tête, la bouche ouverte sur un cri silencieux, tandis qu'elle s'agrippait à mes reins avec son incroyable vigueur.

— Serre-moi, Alex. Oh, oui, plus fort. Plus fort !

Il me semblait que rien ne pourrait se glisser entre nous, au sens propre comme au figuré. Je me sentais à des kilomètres de tout sauf de Bree, et je voulais que cette nuit n'ait jamais de fin.

Mais bien sûr, la fin viendrait… et bien trop tôt.

18

Le téléphone de la chambre sonna sur le coup de minuit. Je comprendrais plus tard qu'il ne s'agissait pas d'une coïncidence. C'est à minuit que l'on change de date, que débute un nouveau jour, et celui qui appelait avait choisi cette heure délibérément.

Je décrochai le combiné.

— Alex Cross.

— Tant de travail et une soirée romantique en plus ? Dis-moi, inspecteur Cross, comment y arrives-tu ?

La voix de Kyle Craig me fit l'effet d'une douche glacée et, en l'espace de quelques secondes, mon univers bascula.

— Kyle ! m'écriai-je pour alerter Bree. Depuis quand es-tu à Washington ?

Elle s'était déjà redressée dans le lit mais, en entendant le nom, elle saisit son portable sur la table de chevet et l'emporta dans la salle de bains.

— Qu'est-ce qui te fait croire que je suis dans la capitale ? répliqua Kyle. Tu sais que j'ai des yeux et des oreilles partout. Je n'ai pas besoin de me trouver là en personne pour y être.

— C'est vrai, admis-je, m'efforçant de garder un ton calme. Sauf que je suis l'un de tes sujets favoris.

Il eut un petit rire.

— J'aimerais dire que tu te flattes, mais ce serait faux. Bon, donne-moi des nouvelles de la famille. Comment va Nana ? Et les enfants ?

Ces questions apparemment innocentes étaient des menaces déguisées, et nous le savions tous les deux. Kyle était obsédé par les familles, peut-être parce que la sienne avait été si perturbée. En fait, il avait tué ses père et mère, en des occasions distinctes. Rassemblant toute ma volonté pour ne pas réagir à la provocation, je conservai mon sang-froid.

— Pourquoi me téléphones-tu, Kyle ? Tu ne fais jamais rien sans une bonne raison.

— Je n'ai pas vu Damon dans le coin. Ton fils aîné doit être encore à la Cushing Academy ? Au nord-ouest de Worcester, exact ? Par contre, Ali… Voilà ce qui s'appelle un garçon en pleine croissance.

J'agrippai le bord du matelas de ma main libre. L'idée que mes enfants occupent les pensées de Kyle Craig m'était plus qu'intolérable.

J'étais toutefois sûr d'une chose : les menaces et les mises en garde vaines ne servaient qu'à l'encourager. Il avait toujours montré un esprit de compétition maladif à mon égard, qui dépassait toute mesure. La première fois, le coincer avait été un défi presque impossible à relever.

Comment allais-je bien pouvoir réussir à nouveau ?

— Kyle, je refuse de discuter plus longtemps sans savoir où cela mène, déclarai-je d'une voix que j'espérais neutre. Si tu as quelque chose à me dire…

— Tu es poussière, et tu redeviendras poussière. Ce n'est pas un grand secret, Alex.

— Ce qui signifie quoi, au juste ?

— Tu as demandé où ceci menait. À la poussière, là où tout finit par retourner. Bien sûr, certains d'entre nous y retournent plus vite, n'est-ce pas ? Ta première femme, par exemple, bien que je ne puisse pas m'attribuer le mérite pour celle-là.

Il obtint alors ce qu'il souhaitait : je craquai, je ne me maîtrisais plus.

— Écoute-moi bien, pauvre merde ! Ne t'approche pas de nous. Je jure devant Dieu que si jamais tu...

— Si je quoi ? me coupa-t-il avec une violence égale à la mienne. Si je fais du mal à ta ridicule famille ? Si je te prive de ta précieuse fiancée ? (En une seconde, son ton était passé à la rage pure.) Comment oses-tu me parler de ce qu'on peut perdre ! De ce que toi, tu possèdes encore ! Combien de vies as-tu prises, Alex ? Combien de familles as-tu brisées avec ton neuf millimètres ? Tu ne connais même pas la signification du mot « perte », du moins pas encore, enfoiré d'hypocrite !

Jamais je ne l'avais entendu se déchaîner ainsi. D'ailleurs, il jurait rarement autrefois. Cela ne ressemblait pas au Kyle que j'avais côtoyé.

Était-ce le signe d'une forme de décompensation ? Ou s'agissait-il simplement de l'un de ses numéros soigneusement calculés ?

— Veux-tu savoir quelle est la vraie différence entre nous, Alex ?

— Je la connais déjà. Je suis resté sain d'esprit, contrairement à toi.

— La différence, c'est que si je suis en vie, c'est parce que personne parmi vous n'a été capable de me descendre ; alors que toi, tu l'es uniquement parce que je n'ai pas encore décidé de te tuer. Je t'en prie, dis-moi que cette évidence ne t'a pas échappé.

— Je ne vais pas t'abattre, Kyle, répliquai-je sans plus surveiller mes paroles. Je ferai en sorte que tu croupisses jusqu'à ta mort dans cette cellule du Colorado d'où tu es sorti. Tu vas y retourner, crois-moi.

— Oh, ça me rappelle…, lança-t-il, avant de raccrocher brusquement.

Du Kyle tout craché, juste une façon de plus de montrer que c'était lui qui avait commencé la partie et lui qui la terminerait, selon ses termes. Le contrôle était son oxygène.

Soudain, Bree fut là, ses bras autour de moi.

— J'ai appelé Nana, m'informa-t-elle. Tout va bien, mais je l'ai prévenue que nous arrivions. Et j'ai envoyé là-bas une voiture de patrouille, elle est en route.

Je me levai et m'habillai aussi vite que je le pus. Mon corps tremblait de colère, et pas seulement contre Kyle.

— J'ai déconné, Bree. Totalement. Je ne dois pas le laisser m'atteindre de cette manière. Surtout pas ! Cela ne fera qu'aggraver les choses.

Si c'était possible.

19

Maudit soit-il, pour tout !

Kyle était parvenu précisément à ce qu'il souhaitait : s'introduire dans ma vie. Il m'avait trouvé, dans tous les sens du terme. Je n'avais pas d'autre choix que de réagir.

À notre arrivée, une voiture de patrouille surveillait mon domicile, et un agent en tenue était posté à l'arrière, près du garage. Sampson était là également; sans savoir qui l'avait appelé, je lui étais reconnaissant d'être venu.

— Ça baigne, ma poule, tout est en ordre ici, me lança-t-il dès que j'entrai avec Bree dans la maison.

Il nous attendait dans la cuisine en compagnie de Nana, qui lui avait déjà préparé un sandwich au jambon avec des chips.

— C'est loin d'être terminé. (Au prix d'un gros effort, je parlais à voix basse afin de ne pas réveiller les enfants, qui dormaient en haut.) Nous devons envisager de faire partir ma famille d'ici.

— Tiens donc ! répliqua Nana sur un ton qui fit baisser de six degrés la température de la pièce.

— Nana...

— Non, Alex. Pas question. Agis au mieux en ce qui concerne les enfants. Quant à moi, j'étais sérieuse la dernière fois, quand je t'ai averti que ce serait la dernière. Je ne quitterai pas cette maison, et c'est mon dernier mot.

Sans même me laisser répondre, elle décida qu'en fait elle n'en avait pas terminé.

— Autre chose. Si ce Kyle Craig est aussi fort que tu l'affirmes, alors peu importe où tu cacheras les enfants. C'est à toi, monsieur l'inspecteur, de les protéger, où qu'ils soient.

En dépit du tremblement dans sa voix, le doigt qu'elle pointait sous mon nez restait ferme.

— Défends ton foyer, Alex. Mets le paquet ! Tu es censé être bon dans ton boulot.

Elle frappa la table du plat de la main à deux reprises, puis se cala contre son dossier. À moi de jouer.

Tout d'abord, je pris une profonde inspiration et comptai jusqu'à dix. Ensuite, je demandai à Bree de lancer sur-le-champ un avis de recherche.

— Diffuse-le sur le réseau d'information de la police de Washington, tous districts confondus, puis sur celui du NCIC[1] au FBI, le plus tôt possible.

Pour cela, il nous fallait le numéro d'enregistrement du mandat d'arrêt, et c'est Sampson qui se chargea de l'obtenir.

De mon côté, j'appelai l'antenne régionale du FBI, à Denver. En théorie, Kyle relevait de sa juridiction puisqu'il s'était échappé d'une prison du Colorado.

Au téléphone, un agent nommé Tremblay m'apprit qu'il n'y avait aucune nouvelle information, mais qu'il alerterait immédiatement toutes les antennes de la côte est. Cette affaire était prioritaire pour eux aussi, et pas seulement en raison du coup que l'arrestation de Kyle avait déjà porté à la réputation du FBI. Mon intuition me soufflait que Jim Heekin, du service de renseignement à Washington, me contacterait au matin dès la première heure.

En attendant, je passai un autre coup de fil et réveillai Rakeem Powell, un vieux copain avec qui je m'entraînais parfois à la boxe.

Rakeem avait servi dans les forces de l'ordre durant quinze ans, dont huit en tant qu'enquêteur dans le Premier District. Puis, en l'espace de six mois, il s'était

1. National Crime Information Center : bases de données en réseau du FBI regroupant les informations relatives à des délits ou à des crimes commis sur l'ensemble du territoire; elles sont accessibles à toutes les forces de l'ordre.

marié et avait reçu une balle, dans cet ordre, ce qui l'avait conduit à prendre une retraite anticipée.

Personne ne pensait que Rakeem pourrait quitter le MPD, mais à dire vrai, personne ne l'imaginait non plus se caser un jour. Par la suite, il avait monté une société privée de sécurité, à Silver Spring, et j'étais sur le point de devenir l'un de ses clients.

Dès 7 heures, ce matin-là, toute une organisation avait été mise en place. Bree et moi nous chargerions d'accompagner les enfants à l'école et de les ramener, avec Sampson en renfort. Les employés de Rakeem surveilleraient les abords de la maison la nuit et, si nécessaire, durant la journée. Ils allaient également passer ce premier jour à évaluer tous les accès possibles de la demeure afin d'y placer des alarmes, en s'efforçant d'avoir terminé avant le retour des enfants.

Nana eut beau s'insurger contre la présence d'agents du FBI dans le jardin, je remportai la victoire sur ce point. Selon ses instructions, je mettais le paquet pour défendre mon foyer. Nous nous adressions à peine la parole à ce stade, et si personne n'était heureux de ces arrangements, ils constituaient désormais notre réalité.

La vie en état de siège. Kyle Craig était bel et bien de retour.

20

Et pourtant, la vie continue, qu'on le veuille ou non.

Après avoir déposé les enfants à l'école, je me rendis à l'hôpital Saint-Anthony juste à l'heure pour ma deuxième consultation, ayant manqué la première. J'y pratiquais bénévolement depuis que j'avais fermé mon cabinet. Ces patients très perturbés n'avaient pas les moyens de s'offrir les soins psychologiques les plus élémentaires, et j'étais heureux de leur apporter mon aide. En outre, ce travail avec eux m'aidait à garder l'esprit aiguisé et alerte.

Bronson James, dit « Pop-Pop », pénétra dans mon petit bureau humide et froid avec sa démarche de rappeur, affichant son air habituel, le genre « l'école c'est pour les gogols ». Il avait onze ans à notre première rencontre ; un peu plus âgé à présent, il était plus confiant que jamais dans sa perception cynique du monde.

Deux de ses amis étaient décédés depuis que je le suivais et la plupart de ses héros, des voyous à peine plus vieux que lui, avaient eux aussi déjà trouvé la mort.

J'avais parfois le sentiment d'être le seul au monde à me soucier de Bronson, mais il ne faut pas croire qu'il me facilitait la tâche pour autant, bien au contraire.

Il s'assit en face de moi sur le divan en skaï, le menton levé comme s'il observait le plafond, plus probablement pour m'ignorer.

— Quoi de neuf depuis la dernière fois ? lui demandai-je.

— Rien que je peux raconter. Hé, pourquoi vous apportez toujours du Starbucks ici ?

Je regardai le gobelet dans ma main.

— Pourquoi ? Tu aimes le café ?

— Nan, je touche pas à cette saloperie. Mais j'aime bien leur truc, là, le Frappuccino.

Je voyais qu'il cherchait à obtenir quelque chose, peut-être que je lui apporte une douceur la prochaine fois, comme ces boissons bien sucrées. C'était l'un de ces rares et brefs moments où transparaissait l'enfant sous l'armure qu'il semblait porter jour et nuit.

— Bronson, ce « rien » dont tu ne veux pas parler, cela signifie quoi, au juste ? Tu es mêlé à une histoire ?

— Z'êtes sourd ou quoi ? J'ai dit que je pouvais rien – vous – raconter !

Énervé, il ponctuait chaque mot d'un coup de pied à la table basse placée entre nous.

Des jeunes comme Bronson, on en parlait constamment dans les publications psychiatriques : des cas que l'on suppose intraitables. D'après mes observations, il n'éprouvait aucune sorte d'empathie envers autrui. Une composante classique d'une personnalité qui tend à devenir antisociale (Kyle en était un exemple, d'ailleurs) et qui le faisait céder naturellement à ses pulsions violentes. En d'autres termes, il lui était très difficile de ne pas passer à l'acte.

Néanmoins, je connaissais aussi son secret. Sous cette carapace forgée pour la vie dans la rue, et derrière les troubles mentaux, se cachait un petit garçon effrayé qui ne comprenait pas cette violence qu'il sentait en lui la plupart du temps. Pop-Pop avait été en marge du système dès sa naissance ou presque ; il méritait une meilleure donne que celle qui lui avait été faite jusque-là. C'était la raison pour laquelle je le voyais deux fois par semaine.

Je fis une nouvelle tentative.

— Bronson, tu sais que nos entretiens sont confidentiels, n'est-ce pas ?

— Sauf si je représente un danger pour moi-même. Ou pour autrui.

Il souriait en récitant la deuxième partie. Il adorait le pouvoir que lui procurait cette conversation.

— Représentes-tu un danger pour quelqu'un ?

Je craignais surtout l'influence des gangs. Son corps ne portait ni tatouage ni blessure notable, brûlure, hématome ou autre marque révélatrice d'une initiation. Cependant, sa nouvelle famille d'accueil habitait près de Valley Avenue, un territoire que se disputaient les bandes de Yuma Avenue et de la 9e.

— Y s'passe rien ! On tchatche, c'est tout.

— Et avec quelle bande « tchatches-tu » ces temps-ci ? Celle de Yuma ? De la 9e ?

Il perdait patience et soutenait mon regard avec agressivité. Je gardai le silence, dans l'attente d'une réponse. Sans un mot, il se leva d'un bond, écartant la table pour s'approcher tout près de moi. Son changement d'attitude fut quasi instantané.

— Me mate pas comme ça, man. Baisse les yeux, putain !

Et là il me décocha un coup de poing, ou du moins essaya.

À croire qu'il ne se rendait pas compte de sa petite taille. Je lui bloquai la main et dus appuyer sur ses épaules pour l'obliger à se rasseoir. Il essaya quand même à nouveau de me frapper.

Je le repoussai sur le divan une deuxième fois.

— Oh que non, Bronson. Pas de ça avec moi, n'y pense même pas.

Étant donné son passé, je répugnais à employer la force contre lui ; mais il avait franchi les limites, lesquelles lui étaient apparemment indifférentes. C'est ce qui m'alarmait le plus.

Ce garçon s'approchait dangereusement du précipice, et je n'étais pas certain d'avoir les moyens de le retenir.

21

Je me levai.

— Debout, Bronson. On s'arrache.

— Où on va ? À la prison pour mineurs ? Je vous ai pas touché.

— Non, on ne va pas là-bas, le rassurai-je. Rien à voir. Allons-y.

Je regardai ma montre. Il nous restait une trentaine de minutes avant la fin de la consultation. Bronson me suivit dans le couloir, probablement plus par curiosité qu'autre chose. D'habitude, au sortir de la séance, je l'escortais jusqu'à l'assistante sociale chargée de son dossier.

Une fois dehors, alors que je déclenchais l'ouverture des portières de ma voiture, il s'arrêta brusquement.

— Z'êtes un pervers, Cross ? Vous m'emmenez dans un p'tit coin tranquille, c'est ça ?

— Mais oui, je suis un pervers, Pop-Pop. Monte dans la voiture.

Avec un haussement d'épaules d'indifférence, il obéit. Je remarquai qu'il caressait le cuir du siège et détaillait du regard l'équipement stéréo, mais il s'abstint de tout compliment ou sarcasme.

Quand je m'engageai dans la circulation, il insista :

— Alors, c'est quoi le grand secret ? On va où, là ?

— Aucun secret. Il y a un Starbucks non loin d'ici. Je vais te payer un de ces Frappuccino.

Bronson se tourna pour regarder par la vitre, mais j'avais eu le temps d'apercevoir l'ombre d'un sourire sur son visage. Certes, c'était peu de chose, et pourtant j'aime à croire que ce jour-là, quelques minutes au moins, il a pensé que nous étions du même côté.

— Le plus grand, précisa-t-il.

— Ça marche.

22

Apparemment, le FBI avait toujours à sa tête les mêmes imbéciles. Pour autant que Kyle le sache, personne n'avait cillé lorsque l'agent Siegel, fraîchement débriefé et réactivé, s'était fait attribuer l'affaire du sniper à Washington. Sa mission à Medellín en Colombie, durant la période où la ville était réputée « capitale mondiale du meurtre », était connue de tous et représentait une carte de visite impressionnante. Les fédéraux avaient de la chance de l'avoir avec eux sur ce coup-là.

Et plus encore qu'ils ne l'imaginaient : deux agents pour le prix d'un ! Installé à son nouveau bureau dans la salle des opérations de l'antenne régionale, il observait la photographie sur le badge qu'on lui avait fourni le matin même. Max Siegel le fixait des yeux. Il continuait à ressentir un frisson d'excitation en regardant ce visage… Chaque fois qu'il passait devant un miroir, il s'attendait toujours plus ou moins à voir l'ancien Kyle.

— Ça doit faire drôle.

L'un de ses collègues se penchait par-dessus la cloison du box. C'était l'agent Machinchose, que tout le monde appelait Scooter, surnom du dernier ridicule ; Scooter, au regard brillant de zèle et qui grignotait constamment des barres sucrées.

Kyle glissa le badge dans sa poche.

— Qu'est-ce qui doit faire drôle ?

— De retourner sur le terrain, je veux dire. Après tout ce temps.

— J'étais sur le terrain à Miami, répliqua Kyle, avec un zeste de l'accent typiquement new-yorkais de Siegel.

— Bien sûr. Je ne cherchais pas à insinuer quoi que ce soit.

Kyle dévisagea Machinchose en silence et laissa la gêne s'installer entre eux telle une paroi de verre.

— Bon, eh bien... Vous voulez quelque chose avant que j'y aille ?

— De votre part ?

— Euh, ouais.

— Non, merci, Scooter. J'ai ce qu'il me faut.

Max Siegel allait se montrer insociable, Kyle l'avait décidé avant d'arriver. Aux autres agents de s'extasier devant les portraits de bébés ou de partager le popcorn fait au micro-ondes, dans la salle de repos. Plus ils se tiendraient à distance, plus il pourrait avancer, et plus convaincant serait son personnage.

C'est pourquoi il aimait tant rester tard au bureau. Il y avait déjà passé la majeure partie de la nuit précédente, à s'imprégner de tout ce qu'il y avait à savoir sur les meurtres dans la 18e. Ce soir, il s'intéressait en particulier aux photographies de la scène de crime et à la méthode du tireur. Son profilage prenait forme.

Tandis qu'il travaillait, certains mots lui revenaient à l'esprit : net, détaché, professionnel. Il n'y avait eu ni signature explicite ni provocation du genre « essayez donc de m'attraper », pourtant très courantes dans ces affaires-là. L'opération était presque aseptisée, deux homicides résultant de tirs à deux cent quarante mètres ; du point de vue de Kyle, cette histoire se révélait d'un ennui mortel, bien que « le choc et l'effroi » engendrés aient été élégamment rendus dans la presse.

Il continua plusieurs heures, perdit même la notion du temps jusqu'à ce que la sonnerie d'un téléphone brise le silence de la salle. Il n'y prêta guère attention, mais un instant après un appel arrivait sur son poste.

— Agent Siegel, répondit-il d'une voix avenante que démentait l'expression de son visage.

— Jamieson à l'appareil, du service des communications. La police de Washington vient de nous informer d'un homicide. Il semble qu'il y ait eu une autre attaque de sniper. Dans le quartier de Woodley Park, cette fois.

Kyle n'hésita pas une seconde. Il se leva et enfila sa veste.

— J'y vais. Donnez-moi l'adresse.

Quelques minutes plus tard, il était sorti du parking et roulait sur Massachusetts Avenue à près de cent à l'heure. Plus vite il serait sur les lieux, plus vite il écarterait la police, qui était sûrement déjà en train de polluer sa scène de crime.

Et surtout... c'était l'occasion qu'il attendait. *Mesdames et messieurs, préparez-vous !* Avec un peu de chance, Alex Cross et Max Siegel allaient enfin se rencontrer.

23

Je me trouvais chez moi quand je reçus l'appel à propos du nouveau meurtre commis par un sniper, près de Woodley Park.

— Inspecteur Cross ? Sergent Ed Fleischman du Deuxième District à l'appareil. On a un vilain homicide ici, vraisemblablement un tir de sniper.

— Qui est mort ?

— Mel Dlouhy, monsieur. C'est pour ça que je vous ai prévenu. Il correspond au profil des victimes de votre affaire en cours.

Bien qu'en liberté provisoire sous caution, Dlouhy restait au cœur de l'un des plus gros scandales fiscaux de l'histoire des États-Unis. Haut placé au centre des impôts de la région de Washington, on le soupçonnait d'avoir usé de sa fonction pour détourner par dizaines de millions les dollars des contribuables, au profit de sa famille, de lui-même et de ses amis, via de fictives associations caritatives d'aide à l'enfance.

Un autre acte de sniper, un autre type impliqué dans un scandale qui faisait les gros titres : il s'agissait d'une série.

Du coup, l'affaire venait de passer à un autre niveau. J'étais déterminé à éviter toute erreur, et ce dès le début. Si la scène de crime devait se transformer en cirque, je tenais à m'assurer que ce soit au moins sous mon contrôle.

— Où êtes-vous ? demandai-je au sergent.

— Dans la 32e, à la hauteur de Cleveland Avenue, monsieur. Vous connaissez le coin ?

— Très bien, oui.

Le Deuxième District était le seul de la ville à avoir eu un taux zéro d'homicides l'année précédente. Une statistique qui n'était plus d'actualité, désormais. Je voyais déjà la panique monter dans le quartier.

— Les pompiers sont sur place ? repris-je.

— Oui, monsieur. Le décès a été constaté.

— Rien à signaler au domicile ?

— Nous l'avons inspecté rapidement, et Mme Dlouhy est avec nous. Je peux lui demander l'autorisation de fouiller si vous voulez.

— Non. Faites sortir tous ceux qui seraient à l'intérieur, ordonnai-je. Appelez l'identité judiciaire. Ils peuvent commencer à prendre des photos, mais ils ne touchent à rien jusqu'à ce que j'arrive. Avez-vous une idée de l'endroit d'où on a tiré ?

— De derrière, soit du jardin, soit de la maison voisine qui borde la propriété. Leurs occupants ne sont pas là.

— Bien. Installez un poste de commandement dans la rue, surtout pas dans le jardin, sergent. Je veux des agents de police aux portes de devant et de derrière, et un qui garde la maison du voisin. Toute personne qui souhaite entrer dans l'un ou l'autre des domiciles doit impérativement vous demander l'autorisation. Et la réponse est non. Pas avant que je sois sur les lieux. C'est une scène de crime pour la section des homicides, sous ma responsabilité. Vous allez voir débarquer le FBI, l'ATF, peut-être aussi le chef de la police, il vit beaucoup plus près de là que moi. Dites-lui qu'il peut m'appeler dans ma voiture s'il le souhaite.

— Autre chose, inspecteur ?

Fleischman semblait un peu dépassé par les événements, non que je lui en tienne rigueur, la plupart des policiers du Deuxième District n'étant pas accoutumés à ce genre de situations.

— Oui. Informez tout le monde que je ne veux aucune fuite dans la presse ou auprès des voisins, absolument personne. Vos gars n'ont rien vu, et ils ne savent rien. Verrouillez la scène jusqu'à ce que je sois là.

— Je vais essayer.

— Non, sergent. Vous allez le faire. Croyez-moi, il nous faut garder cette affaire sous contrôle.

24

Malheureusement, la presse se déchaînait déjà quand j'arrivai. Des dizaines de caméras se bousculaient pour obtenir un bon angle de vue sur la villa en pierre blanche des Dlouhy, massées le long des barrières installées par le sergent Fleischman, mais aussi dans la 31e, la rue parallèle, où avait été envoyé un détachement chargé d'empêcher les journalistes de pénétrer par l'arrière, ce qu'ils ne manqueraient pas d'essayer.

Sur les trottoirs, la plupart des voyeurs, lorsqu'il ne s'agissait pas de représentants de la presse, étaient probablement des badauds venus de Cleveland Avenue. Les voisins semblaient être restés chez eux. En longeant le pâté de maisons en voiture, j'avais aperçu des silhouettes derrière les fenêtres. Je signai le registre de présence et ordonnai immédiatement à une équipe de commencer le porte-à-porte pour recueillir des témoignages.

Sampson me rejoignit sur place, il arrivait tout droit d'une réception à l'université de Georgetown où Billie, sa femme, formait de futures infirmières.

— Je ne dis pas que ce qui s'est passé ici me réjouit, déclara-t-il, mais merde, il y a une limite à la quantité de vin et d'amuse-gueules qu'on peut ingurgiter dans une vie, non ?

Je me rendis avec lui dans le salon où, selon le rapport, les Dlouhy regardaient un épisode de *The Closer* au moment du drame. Comble d'ironie, la télévision toujours en marche diffusait un flash d'actualités montrant une vue de la villa.

— Ça fait froid dans le dos, commenta Sampson. La presse aime défendre le respect de la vie privée, sauf quand c'est elle qui ne la respecte pas.

Dans sa déposition initiale, Mme Dlouhy expliquait avoir entendu un bruit de verre brisé, regardé vers la fenêtre, et c'est seulement après qu'elle s'était rendu compte que son mari, assis dans le fauteuil relax à côté du sien, avait la tête affaissée sur la poitrine et les yeux fixes. Je l'entendais pleurer dans la cuisine auprès de l'un de nos conseillers psychologiques, et je ressentis un élan de compassion pour elle. Quel cauchemar…

Mel Dlouhy était encore dans son fauteuil. Il n'avait reçu qu'une balle, dans la tempe; l'air relativement propre, la blessure présentait une petite auréole bleu-noir autour de l'orifice d'entrée du projectile. Sampson la désigna de la pointe d'un stylo, qu'il fit ensuite remonter de quinze centimètres environ, là où la tête de Dlouhy avait dû se tenir.

— Disons que la balle l'a touché à cette hauteur.

Il dessina un arc avec le stylo jusqu'à indiquer la fenêtre cassée.

— Elle est bien arrivée par là, conclut-il.

— C'est une trajectoire plongeante, constatai-je.

La balle avait percé l'un des six carreaux supérieurs de la fenêtre à guillotine qui donnait sur l'arrière. Sans nous concerter, nous passâmes dans la salle à manger pour sortir par la porte-fenêtre.

Un patio en briques précédait un jardin long et étroit. Les deux spots extérieurs sur les côtés de la maison n'en éclairaient que la moitié, mais l'on ne distinguait ni remise ni aucun arbre suffisamment massif pour supporter le poids d'un homme.

Au-delà, l'arrière de la demeure voisine, de style Tudor et sur trois niveaux, se découpait dans la lumière d'un réverbère de la 31e. Deux énormes chênes dominaient son jardin, peu visible dans l'ombre des murs.

— Tu as bien dit qu'il n'y avait personne là-bas ? demanda Sampson.

— Les occupants sont en voyage, figure-toi. Le tireur savait exactement ce qu'il faisait. Peut-être cherche-t-il à nous épater. Il a une réputation à défendre, depuis son premier coup.

— En supposant qu'il s'agisse d'un homme.

— C'en est un, affirmai-je.

— Excusez-moi, inspecteur ?

Fleischman s'était soudain matérialisé. Je regardai ses mains afin de m'assurer qu'il portait des gants.

— Que faites-vous ici, sergent ? Vous avez largement de quoi vous occuper dehors.

— Deux choses, monsieur. Des voisins ont signalé la présence de véhicules inconnus dans le coin.

— *Des* véhicules, au pluriel ?

Fleischman acquiesça.

— Pour ce que ça vaut. Une vieille Buick immatriculée à New York, qui se gare parfois dans la rue depuis plusieurs jours. (Il consulta son bloc-notes.) Et un gros 4 × 4, peut-être un Suburban, de couleur sombre et en mauvais état. Il est resté dans la rue quelques heures, tard hier soir.

Ce n'était pas le genre de quartier où de vieilles voitures avaient l'air à leur place, du moins pas en dehors des heures de service du personnel ou des fournisseurs. Il nous faudrait suivre ces deux pistes sans attendre.

— Et l'autre chose ? demandai-je.

— Le FBI est là.

— Dites à leurs agents d'envoyer l'équipe de collecte d'indices dans le jardin du voisin.

— Pas « leurs agents », monsieur. Il n'y en a qu'un. Il vous a demandé vous, personnellement.

Un coup d'œil à l'intérieur me fit voir un homme blanc, grand, vêtu du costume standard des fédéraux. Penché sur Mel Dlouhy, ses mains protégées par des gants bleus en appui sur les genoux, il examinait la blessure à la tête.

— Hé ! l'appelai-je à travers la fenêtre cassée. Pourquoi êtes-vous dans la maison ?

Il ne m'entendit pas ou choisit de m'ignorer. J'interrogeai Fleischman :

— Quel est son nom ?
— Siegel, monsieur.
Cette fois, je criai, avant de rentrer dans la villa :
— Hé, Siegel ! Ne touchez à rien là-dedans !

25

Quand Alex pénétra dans la pièce, Kyle se redressa et le regarda droit dans les yeux. *Un mort en sursis*, se dit-il, puis il sourit en lui tendant la main.

— Max Siegel, FBI, antenne de Washington. Comment ça va ? Pas trop bien, j'imagine.

Malgré la mauvaise grâce de Cross à lui serrer la main, le moment était chargé d'électricité, comme lors de la première mise en jeu dans un match de la NBA. *Allez, allez, c'est parti, maintenant !*

— Qu'est-ce que vous fabriquez ? demanda l'inspecteur sur un ton peu amène.

— Je me mets au travail sur cette affaire.

— Sans blague. Je veux dire, que cherchez-vous précisément sur ce corps ?

C'était magnifique : Cross le regardait sans avoir la moindre idée de qui il était. Le visage était parfait, bien sûr. Le seul danger possible proviendrait des oreilles, et non des yeux, d'Alex. Les semaines d'audiosurveillance de Max Siegel à Miami allaient enfin porter leurs fruits.

Cependant, il se comporta tout d'abord exactement à l'inverse de ce que Cross attendait. Il lui tourna le dos et s'accroupit pour examiner de nouveau le point d'entrée de la balle.

La peau était couverte d'un résidu de poudre bleu-noir autour de l'orifice ; quelques cheveux avaient été aspirés à l'intérieur avec le projectile, quand il avait percé l'os de la tempe. Un tir si efficace. Si impersonnel. Il commençait à ressentir de l'estime pour ce tueur.

— Ça, c'est pour la balistique, finit-il par déclarer en se relevant. Je parie sur une munition 7,62 × 51 OTAN haute performance, mais pas chemisée. Et je dirais que le tireur a reçu un entraînement militaire.

— Vous avez lu le dossier, répliqua Alex.

Simple constatation de sa part, et non un compliment.

— Oui, nous aurons besoin de votre service de balistique pour confirmer cette hypothèse, poursuivit-il, mais avant toute chose il faut laisser travailler le médecin légiste. En attendant son arrivée, je vous demande de sortir.

Cross n'aurait pas pu être plus transparent. Il espérait qu'une petite manifestation d'autorité rabattrait le caquet de cet agent présomptueux, sans nul doute un autre connard trop entreprenant du FBI qui se faisait une idée exagérée de son droit, comme pouvait l'être Alex lui-même à l'époque où il appartenait au Bureau.

— Écoutez, déclara Kyle, je me fiche de savoir à qui reviendra le mérite, dans cette affaire. De toute façon, le procureur général va intervenir et récolter les lauriers, au final. N'ai-je pas raison ?

— Siegel, je n'ai pas le temps pour ça maintenant. Je...

— Mais ne vous y trompez pas, l'interrompit Kyle. (Son expression ne gardait plus aucune trace du sourire amical de Siegel.) Nous avons deux incidents avec trois homicides, tous à Washington. Ce sont des crimes fédéraux. Donc, vous pouvez travailler avec nous si vous voulez, sinon vous dégagez du chemin.

Il montra à Alex son petit portable crypté Sigillu, dernier modèle.

— Un appel et je fais de cette scène de crime mon terrain de jeu privé. À vous de voir, inspecteur. Que préférez-vous ?

26

Il me fallut à peu près dix secondes pour comprendre la manœuvre de Max Siegel, et je n'allais pas me laisser marcher sur les pieds.

— Écoutez, Siegel, je ne prétends pas avoir les moyens de vous tenir à l'écart de cette affaire, pas plus que vous n'avez la possibilité de le faire avec moi. Mais qu'une chose soit bien claire : cette scène de crime est du ressort du MPD, section des homicides. Elle est sous ma responsabilité, et si vous voulez en discuter avec le chef de la police, n'hésitez pas, il est dehors. En attendant, si vous ne savez pas avec quelle rapidité les indices peuvent s'altérer dans une pièce comme celle-ci, alors vous n'êtes pas à votre place ici.

À n'en pas douter, les forces de l'ordre seraient représentées au complet dès le lendemain, et je me retrouverais obligé de travailler avec ce fumier du FBI au cours de l'enquête. Toutefois, le moment était mal choisi pour une partie de bras de fer. Quel qu'en ait été l'instigateur.

Sampson arriva du jardin, m'interrogeant du regard : *Qui est ce type ?* Je fis les présentations d'usage.

— L'agent Siegel et moi étions en train d'échanger nos théories. Pour lui aussi, la méthode démontre une technique militaire, ajoutai-je pour alléger l'atmosphère et nous recentrer sur le meurtre.

Siegel reprit immédiatement la parole. Ou plutôt, se mit à « discourir ».

— Les tireurs d'élite de l'armée visent des cibles de haut niveau, des officiers et non de simples soldats, affirma-t-il. De mon point de vue, nos victimes rentrent dans cette catégorie. Ce ne sont pas les présidents des banques, mais un membre du Congrès et un lobbyiste, ceux qui permettent à ces banquiers de s'enrichir. Et pour la troisième victime, il ne s'agit pas du contribuable qui vole l'oncle Sam, mais de l'inverse.

— Un tueur qui se fait le champion de l'homme de la rue, suggéra Sampson.

— Et qui possède le meilleur des entraînements, ajouta Siegel. Ce genre de précision ne ment pas.

Il avait approché la main, à presque le toucher, du trou noir centré à trois centimètres au-dessus de l'oreille gauche de Mel Dlouhy.

J'écoutais sans intervenir. Ce type voulait moins collaborer qu'étaler sa science, et pourtant force était d'admettre qu'il connaissait son sujet. S'il voyait ici des éléments qui m'échappaient, alors il me fallait me taire et rester patient assez longtemps pour découvrir lesquels.

Exactement ce que le vieux magnet sur le réfrigérateur de Nana me conseillait depuis toujours : *Quand on n'a que du citron, on fait de la citronnade.*

27

Devant la maison des Dlouhy, la rue se remplissait de badauds en un flot lent et continu : un spectacle de toute beauté. Denny et Mitch se mêlaient aux curieux, sans trop s'approcher des barrières mais assez quand même pour bien voir. Après cette soirée merdique au foyer qui avait suivi leurs premiers meurtres, Denny estimait que, malgré les risques, Mitch méritait de profiter un peu de leur nouveau succès.

Le corps de ce salaud de Mel Dlouhy se trouvait encore à l'intérieur, à moins qu'il n'ait été sorti en douce par l'arrière. Visibles à travers les fenêtres, des flics en veste et cravate ne cessaient d'aller et venir dans le salon, et l'on apercevait la lumière vive de projecteurs derrière la villa.

Mitch avait beau ne pas dire grand-chose, son excitation était perceptible. L'envergure de ce qu'ils avaient fait commençait à se matérialiser dans l'esprit du gros balèze… ou du gros bébé pour être plus juste.

— Excusez-moi, monsieur l'agent. Est-ce qu'on a coincé le type ? demanda Denny à l'un des flics en faction autour du périmètre de sécurité.

Il avait décidé d'y aller au culot pour amuser Mitch.

— Vous l'apprendrez par les journaux ou la télé, monsieur. Honnêtement, je n'en sais rien.

Se tournant à demi, Denny dit à Mitch à voix basse :

— Tu entends ça ? Il m'appelle « monsieur » ! On doit être dans un quartier chic.

Mitch regarda dans le vide et se frotta la mâchoire pour réprimer un éclat de rire.

Le policier s'apprêtait à communiquer par radio quand Denny s'adressa de nouveau à lui :

— Pardon, mais vous n'auriez pas une clope en trop ?

Il tenait ostensiblement un briquet Bic bleu. Les gens aiment bien que les sans-abri aient du feu sur eux, et cela ne rata pas avec le poulet, qui prit dans la voiture de patrouille un paquet de Camel Lights.

Denny s'assura que Mitch était bien visible derrière lui.

— Une suffira. On peut partager.

— Dans quelle unité étiez-vous ? s'enquit le flic en sortant deux cigarettes du paquet.

Avec un coup d'œil à sa veste de treillis délavée, Denny répondit :

— 3e brigade de combat, 4e division d'infanterie, la meilleure unité déployée à l'étranger.

— La meilleure après la mienne, intervint Mitch. Moi, en Irak, j'étais avec la Garde nationale du New Jersey, on était postés près de Balad.

En vérité, il n'avait jamais porté l'uniforme, mais Denny lui en avait appris assez pour lui permettre de simuler de façon convaincante. Comme tout le monde adorait les vétérans, cela leur procurait toujours un avantage de se faire passer pour tels.

Denny accepta les cigarettes avec un signe de tête amical, et en tendit une à Mitch.

— Le bruit court dans la rue que ce serait l'un des nôtres, vu sa façon de tirer, reprit-il.

Avec un geste évasif, le policier se tourna vers la pelouse en pente devant la villa.

— En tout cas, les infos ne filtrent pas beaucoup par ici. Vous devriez interroger un reporter. Moi, je ne suis là que pour contenir la foule.

— Ah bon, très bien…

Denny alluma sa cigarette, rejeta la fumée et sourit.

— On ne va pas vous embêter plus longtemps. Que Dieu vous garde, monsieur l'agent, et merci pour ce que vous faites.

28

C'est un vendredi de printemps venteux qui suivit le meurtre de Dlouhy, une de ces journées où l'on sent dans la brise l'approche de l'été, même s'il faisait encore un temps à porter une veste.

Kyle boutonna la sienne tandis qu'il s'engageait dans Mississippi Avenue en direction du nord, se mêlant à la couleur locale, pour ainsi dire. Ses accessoires, perruque, maquillage et lentilles de contact, remplissaient parfaitement leur tâche, bien que rudimentaires. Depuis la transformation de son visage, ces déguisements étaient tout simplement indignes de lui... et pourtant un mal nécessaire.

De même, il n'aurait pas choisi ce quartier miteux pour y passer un agréable après-midi printanier. C'était le genre d'endroits qui conservait bien vivante en Amérique la culpabilité des Blancs aux idées libérales, mais jamais suffisamment pour inciter quiconque à agir.

Tout cela n'était cependant pas le problème de Kyle, ni sa préoccupation en ce moment.

Il marchait à pas mesurés, sans hâte, de façon à arriver au centre communautaire du Southeast juste avant 16 h 30. Il avait appris que des tickets gratuits pour un match des Wizards, l'équipe de basket de Washington, y seraient distribués aux gosses ce jour-là, avec les nouvelles mises en garde contre la drogue. Certains des pires voyous étaient venus, dont toute une bande, qui se ruait justement à travers les portes vitrées du bâtiment trapu en briques rouges comme Kyle s'en approchait.

L'un d'eux en particulier attira son attention. Le garçon dédaigna les marches menant au trottoir et sauta d'un muret, puis fit une halte pour ôter le papier d'une barre chocolatée qu'il jeta par terre avant de continuer sa route.

Kyle lui emboîta le pas, d'assez près pour que le radar interne du garçon enregistre sa présence, mais en gardant une certaine distance afin qu'ils soient déjà bien hors de portée de voix au moment voulu.

Une centaine de mètres plus loin, le gamin stoppa brusquement et fit volte-face. La bouche encore pleine, il l'interpella en mâchonnant :

— Hé, mec, qu'est-ce que t'as à me coller au cul ?

Malgré son très jeune âge, il n'y avait pas la moindre trace de peur dans ses grands yeux marron. Son rictus méprisant était une réplique exacte de celui des apprentis gangsters qui écumaient ces rues sordides pour gagner leur vie.

Il releva le bas de son maillot de corps blanc trop long, de manière à laisser voir le manche en cuir noir d'un couteau qui descendait sur sa jambe maigre, probablement jusqu'à mi-cuisse.

— T'as quelque chose à me dire, gros naze ?

Kyle eut un sourire approbateur.

— Tu t'appelles Bronson, c'est ça ? À moins que tu préfères Pop-Pop ?

— Qu'est-ce que ça peut te faire ?

Le garçon avait de bons instincts – et il était juste aussi stupide que Kyle l'espérait. Il tira son couteau suffisamment pour montrer un peu de lame.

Kyle se plaça dos à la rue et ouvrit sa veste. Un Beretta compact était rangé dans un holster suspendu sous son aisselle. Il le dégaina et le tint par le canon, la crosse tournée vers le gamin.

Les pupilles de Bronson se dilatèrent ; non de frayeur mais d'un soudain intérêt.

— J'ai un boulot sympa pour toi, caïd, si tu en es capable. Tu veux gagner cinq cents dollars ?

DEUXIÈME PARTIE

DES RENARDS DANS LE POULAILLER

29

Le rapport de balistique était prêt.

C'était celui que tout le monde attendait, et j'avais programmé sa communication en même temps que la téléconférence du jour avec le FIG. Nous avions en ligne notre équipe du MPD au complet, ainsi que des gens du FBI, de l'ATF, de la police du Capitole… À peu près toutes les forces de l'ordre se trouvaient à présent sur cette affaire.

Les deux experts du FBI chargés du rapport étaient également au téléphone : Cailin Jerger, du laboratoire de criminalistique à Quantico, et Alison Steedman, qui faisait partie de leur unité d'analyse des armes à feu et des marques d'outils.

Après de rapides présentations, je leur passai la parole.

— En me basant sur les fragments de balles dans le crâne des trois victimes, je suis en mesure de certifier que c'est la même arme qui a été utilisée chaque fois, annonça Jerger.

J'avais déjà pris connaissance de la plupart des conclusions dans la matinée, mais elles étaient nouvelles pour tous les autres ou presque qui écoutaient.

— Un calibre 7,62 peut correspondre à des dizaines de modèles d'armes, continua-t-elle. Toutefois, étant donné la nature et la distance de ces tirs, nous croyons qu'il s'agit d'un fusil de haute précision, comme ceux des tireurs d'élite. Ce qui réduit le champ des possibilités à sept fusils.

— Et c'est ici que cela devient plus intéressant, intervint l'agent Steedman. Quatre sont des fusils à verrou. D'après les témoignages, les deux premières victimes, Vinton et Pilkey, ont été abattues dans un intervalle de deux secondes. C'est trop rapide pour des fusils à verrou, ce qui laisse trois semi-automatiques : le M21, le M25, et le plus récent M110, qui est ce qui se fait de mieux. Nous ne pouvons en écarter aucun, sauf que tous les meurtres ont été commis de nuit dans des conditions d'éclairage variées, et le M110 est fourni avec une lunette à visée thermique standard.

— Tout ça pour dire que votre sniper est probablement très bien équipé, conclut Jerger.

— À quel point est-il difficile de mettre la main sur un M110 ?

Je reconnus la voix de Jim Heekin, du service de renseignement du FBI.

— Ils ne sont fabriqués qu'à un seul endroit, répondit Steedman. La Knight's Armament Company, à Titusville en Floride.

Comme j'avais déjà fait des recherches à ce sujet, j'enchaînai :

— À ce jour, le stock de Knight est en règle. Mais une fois que ces armes se retrouvent sur le terrain, principalement en Irak et en Afghanistan, il arrive qu'elles disparaissent. Certains les conservent comme souvenirs de guerre, par exemple. Il est donc presque impossible de suivre leur trace.

— Inspecteur Cross, ici le capitaine Oliverez de la police du Capitole. N'est-il pas indiqué dans votre rapport que les empreintes digitales relevées dans l'immeuble de la 18e n'appartenaient justement pas à un militaire ?

— En effet, admis-je. Pourtant, nous n'excluons pas encore un lien avec l'armée, en ce qui concerne le moyen par lequel le meurtrier s'est procuré l'arme et surtout sa façon de s'en servir. D'ailleurs, cela soulève une autre question.

J'avais gardé cette idée pour moi une demi-journée, mais il n'y avait aucune raison de ne pas la partager maintenant avec le groupe.

— Permettez-moi d'abord d'insister sur un point. La presse doit être tenue à l'écart jusqu'à ce que nous ayons la moindre preuve de quoi que ce soit. Je sais que ça ressemble à un vœu pieux, puisque nous sommes très nombreux à cette téléconférence, mais je compte sur votre discrétion absolue.

— Motus et bouche cousue..., plaisanta quelqu'un, déclenchant quelques rires retenus.

— Bien, continuai-je. Le fait est que toutes ces armes sont utilisées par des snipers qui fonctionnent en binôme. Le modèle militaire consiste à avoir sur le terrain un tireur et un chef d'équipe, chargé du repérage. (J'entendais sur la ligne des murmures échangés dans les différentes salles de réunion.) Vous voyez donc où je veux en venir. Il pourrait s'agir d'une sorte de répétition de 2002. À mon sens, nous ne devons plus chercher un seul homme. Notre cible est vraisemblablement deux individus travaillant en équipe.

30

Alors que Sampson et moi sortions de la salle de réunion, nous trouvâmes derrière la porte Joyce Catalone, de notre service des relations publiques.

— J'allais justement te chercher, m'annonça-t-elle. Heureusement que je n'ai pas été forcée de vous interrompre.

Je regardai ma montre : 16 h 45. Ce qui signifiait qu'une trentaine de reporters au moins m'attendaient en bas pour me cuisiner avant les infos télévisées de 17 et 18 heures. Quelle plaie ! Le moment était venu de nourrir les fauves.

Joyce et Sampson descendirent avec moi. Nous empruntâmes l'escalier pour que Joyce ait le temps de me soumettre plusieurs points qui nécessitaient mon accord.

— Keisha Samuels, du *Washington Post*, aimerait faire un papier pour leur supplément du dimanche.

— Non, refusai-je. J'apprécie Keisha, elle est intelligente et objective, mais il est trop tôt pour ce genre d'articles de fond.

— Et j'ai CNN et MSNBC qui sont prêts à consacrer trente minutes à cette affaire à une heure de grande écoute, si tu acceptes d'aller sur le plateau.

— Joyce, je n'accorderai aucune interview particulière tant que nous n'aurons pas une information à rendre publique. Je donnerais cher pour que ce soit le cas !

— Pas de problème, mais ne viens pas pleurer quand tu auras besoin de la collaboration des médias et qu'ils seront passés à un autre sujet.

Joyce connaissait bien la musique au MPD et c'était la mère poule des services d'investigation.

— Je ne pleure jamais.

— Sauf quand je t'affronte sur le ring, objecta Sampson, qui fit mine de me décocher une droite.

— C'est à cause de ton haleine, pas de tes directs.

Nous étions arrivés au rez-de-chaussée, et Joyce s'arrêta, la main sur la porte.

— Hé, ho, les ados attardés ! Un peu de sérieux, c'est possible ?

Hormis le fait qu'elle était excellente dans sa partie, elle apportait un soutien précieux lors de ces conférences de presse quotidiennes qui prenaient parfois un tour quelque peu mouvementé.

Ai-je dit « quelque peu » ? Un essaim vrombissant de journalistes fonça sur nous à la seconde où nous mîmes le pied sur les marches du Daly Building.

— Alex ! Que pouvez-vous nous dire à propos de Woodley Park ?

— Inspecteur Cross, par ici !

— Y a-t-il du vrai dans les rumeurs qui…

— Mesdames et messieurs ! cria Joyce, dont le volume sonore tenait de la légende au bureau. Laissez-le d'abord faire sa déclaration. S'il vous plaît !

Je récapitulai rapidement les nouveaux faits des vingt-quatre dernières heures, et parlai du rapport de balistique du FBI sans trop rentrer dans les détails. Mon exposé terminé, ce fut de nouveau une mêlée générale.

Channel 4 s'imposa en premier. J'avais reconnu le logo sur le micro mais pas le reporter qui, à mes yeux, paraissait âgé d'une douzaine d'années au maximum.

— Alex, avez-vous un message pour le sniper? Quelque chose à lui faire savoir?

Pour la première fois, un peu de calme retomba sur les marches. Personne ne voulait manquer ma réponse.

— Nous apprécierions toute forme de contact de la part de la personne responsable de ces meurtres, déclarai-je face aux caméras. Vous savez où nous trouver.

Ce n'était pas la phrase du siècle, ni le commentaire de dur à cuire que certains auraient pu souhaiter m'entendre dire. Toutefois, au sein de l'enquête, nous avions convenu qu'il n'y aurait pas de provocation, pas de mise en garde, et aucune caractérisation publique du tueur – ou des tueurs – jusqu'à ce que nous sachions mieux à qui nous avions affaire.

— Question suivante? James? intervint Joyce, faisant en sorte d'éviter les digressions pour nous permettre d'avancer.

Il s'agissait de James Dowd, l'un des correspondants de la NBC. Il tenait une épaisse liasse de notes, qu'il consulta à mesure qu'il parlait.

— Inspecteur Cross, il paraît qu'une Buick Skylark bleue immatriculée à New York, ou encore un Suburban sombre tout rouillé, auraient été vus près de la scène de crime de Woodley Park. Est-ce exact? Et pouvez-vous nous dire si l'un de ces véhicules a un rapport avec le tueur?

J'étais en même temps furieux et pris au dépourvu. Dowd était un bon journaliste, ce qui posait un problème.

En vérité, l'un de mes vieux amis, Jerome Thurman, du Premier District, suivait discrètement ces pistes depuis le soir du meurtre de Dlouhy. Nous n'avions pour l'instant qu'une liste interminable de véhicules correspondants, communiquée par le service des immatriculations, et pas l'ombre d'une preuve que l'un d'entre eux soit relié d'une manière ou d'une autre aux assassinats.

Et par-dessus tout, nous jugions impératif de ne pas divulguer cette information. Or quelqu'un avait manifestement parlé à la presse ; comble de l'ironie après mon sermon sur la discrétion, un moment plus tôt, durant la téléconférence avec le FIG.

Je fournis la seule réponse possible :

— Pas de commentaire sur ce point à l'heure actuelle.

Ce fut comme si j'agitais un steak devant une meute de chiens sauvages. Dans un bel ensemble, ils se rapprochèrent en masse.

— Mesdames et messieurs, cria de nouveau Joyce. Une personne à la fois. Vous savez comment ça marche !

Malgré ses efforts, la bataille était perdue d'avance. Je lançai au moins quatre autres « pas de commentaire » et restai évasif jusqu'à ce qu'un reporter change enfin de sujet. Cependant, le mal était fait. Si l'un de ces véhicules appartenait bien aux snipers, ceux-ci étaient désormais avertis que nous suivions cette piste, et nous venions de perdre un précieux avantage.

C'était la première grosse fuite dans l'enquête, mais quelque chose me disait que ce ne serait pas la dernière.

31

Lisa Giametti consulta sa montre pour la dixième fois peut-être. Elle attendrait encore cinq minutes, puis s'en irait. C'était tout bonnement incroyable cette façon qu'avaient les gens de ne pas se soucier du temps qu'ils faisaient perdre aux autres, dans ce domaine d'activité.

Sur les cinq minutes accordées, quatre et demie s'étaient écoulées quand une BMW bleu nuit ralentit et se gara en double file devant la maison. *Enfin, mieux vaut tard que jamais. Belle voiture.*

Elle inspecta ses dents dans le rétroviseur intérieur, recoiffa de la main ses courts cheveux auburn et sortit accueillir le client.

— Monsieur Siegel ?

— Appelez-moi Max. Veuillez m'excuser pour mon retard. Je ne suis pas habitué aux embouteillages de cette ville.

Sa poignée de main était chaleureuse et il était juste assez grand, ténébreux et sexy pour qu'elle lui pardonne facilement. À sa manière de la regarder dans les yeux, elle devina que lui aussi appréciait ce qu'il voyait. Un homme intéressant, qui valait bien l'attente.

— Allons-y, dit-elle. Je pense que cet endroit va vous plaire. Moi, j'aime beaucoup.

Elle lui tint la porte pour le laisser entrer en premier. Située dans la 2e, côté nord-est, et mitoyenne de ses voisines, la maison était acceptable, certes un peu au-dessus du prix du marché locatif mais parfaite si l'on cherchait ce genre-là.

— Vous êtes nouveau à Washington ? demanda-t-elle.

— J'y ai vécu autrefois, et maintenant je suis de retour. Je n'y connais plus grand monde.

Il appliquait le code : nouveau en ville, seul, etc. Pas d'alliance au doigt non plus. Lisa Giametti n'était pas une femme facile, mais elle savait reconnaître un homme en chasse quand elle en croisait un, et s'il devait se passer quelque chose ici... ce ne serait en vérité pas la première fois que cela lui arriverait.

Elle referma la porte derrière eux et la verrouilla.

— Le quartier est super. Juste en face, vous avez l'arrière du bâtiment de la Cour suprême. Des voisins calmes, comme vous pouvez l'imaginer. Et il y a une petite cour agréable derrière la maison avec un abri pour une voiture.

Ils pénétrèrent dans la cuisine, d'où l'on apercevait le garage par la fenêtre.

— Inutile, bien sûr, de vous dire à quel point ça peut être pratique dans le coin.

— Non, en effet, confirma-t-il, le regard fixé sur le décolleté de Lisa. Votre pendentif est très joli. Vous avez bon goût... pour les bijoux et pour les logements.

Eh bien, il ne perdait pas de temps !

— Et le sous-sol ? demanda-t-il ensuite.

— Pardon ?

— J'aimerais le voir. Il y en a bien un ?

À ce stade, un futur locataire aurait dû en principe parler de visiter l'étage. Peut-être même la chambre, si elle lisait correctement en celui-ci. Peu importait. Le client avait toujours raison, surtout quand il avait cette allure.

Laissant son porte-documents sur le comptoir de la cuisine, elle ouvrit la porte du sous-sol et le précéda dans le vieil escalier de bois.

— Comme vous voyez, il est sec et fonctionnel. L'installation électrique a été refaite, et la machine à laver ainsi que le sèche-linge n'ont que deux ans.

Il fit le tour de la pièce, avec un hochement de tête approbateur.

— Je pourrais abattre beaucoup de travail, ici. De plus, on est à l'abri des regards indiscrets.

Soudain, il s'avança vers elle, et elle recula jusqu'à s'appuyer contre le lave-linge.

S'il lui restait le moindre doute sur ses intentions, il avait maintenant disparu. Elle rejeta ses cheveux en arrière.

— Voulez-vous visiter l'étage ?

— Bien sûr… Mais pas dans l'immédiat. Cela vous ennuie, Lisa ?

— Euh, non, pas du tout.

Alors qu'elle s'apprêtait à l'embrasser, il glissa une main entre ses jambes, sous sa jupe. Un geste un peu présomptueux de sa part. Et excitant à la fois.

— Cela fait longtemps…, s'excusa-t-il.

— C'est ce que je vois, répliqua Lisa en le tirant vers elle.

Sur ce, avant même d'avoir rempli le dossier qui attendait toujours en haut dans la cuisine, Lisa Giametti s'offrit la meilleure partie de jambes en l'air de sa vie, là, sur cette machine à laver Maytag vieille de deux ans. Ce fut torride, sauvage et absolument fantastique.

Sans parler de la très appréciable commission de douze pour cent sur la location.

32

Les fédéraux étaient dans le noir le plus complet. Pareil pour la police. Par contre, tout le monde savait une chose : cela commençait à devenir dangereux et angoissant de vivre à Washington.

Denny dévorait les gros titres – les manchettes dans la presse du matin, l'histoire à la une aux actualités de 17, 18 et 23 heures. Mitch et lui vendaient leurs journaux l'après-midi, ensuite ils regardaient les flashes d'informations de la soirée, soit dans un magasin discount, soit, quand ils avaient gagné quelques dollars de plus, dans un bar où l'on tolérait au comptoir la présence de gars à l'aspect négligé.

Le contenu ne variait jamais : criminel inconnu, empreintes digitales non identifiées et armes de haute performance. Quelques chaînes relayaient des rumeurs à propos d'une Buick Skylark immatriculée à New York et d'un Suburban supposé bleu foncé ou noir, mangé de rouille. Cette dernière description aurait beaucoup plus inquiété Denny si son 4 × 4 n'avait pas été blanc. On ne pouvait même plus compter sur la fiabilité des témoins oculaires, comme pour tout le reste qui foutait le camp sous la bannière étoilée.

Quant à Mitch, ce foin à leur sujet lui plaisait bien, mais à mesure que les jours passaient, il devenait un peu plus léthargique, moins motivé. Il n'y avait aucun doute dans l'esprit de Denny : seules ces « missions » procuraient un but à Mitch. Rien d'autre ne stimulait cette masse de muscles.

Par conséquent, au septième jour sans action, Denny l'informa que le moment était venu de s'y remettre.

Ils roulaient sur Connecticut Avenue en s'éloignant de Dupont Circle, pris dans la circulation à cette heure de pointe, ce qui se révélait une excellente chose en définitive. Comme ils longeaient à une allure d'escargot le Mayflower Hotel, cela leur donnait largement le temps d'effectuer un repérage des lieux dès ce premier passage.

— Alors, c'est là ? demanda Mitch, qui observait l'établissement.

— Oui. On fera une reconnaissance complète ce soir. Et demain, on y va.

— Quel genre de pourriture on va descendre, cette fois ?

— Tu as déjà entendu parler d'Agro-Corel ?

— Non.

— Tu manges bien du maïs ? Ou des patates ? Tu bois de l'eau en bouteille ? Ils sont dans tout, mec, c'est un conglomérat à intégration verticale, et notre homme était pile au sommet de la pyramide.

— Qu'est-ce qu'il a fait ?

Mitch avait beau être occupé à récupérer des miettes de tacos sur son pantalon et à les grignoter, Denny savait qu'il écoutait aussi, même si une partie de ce qu'il entendait lui passait au-dessus de la tête.

— Il a menti à sa compagnie. Et aux fédéraux. Il a coulé la boîte, et après il est parti avec un parachute doré d'une centaine de millions de dollars, tandis que tous les autres se faisaient entuber : pas de boulot, pas de retraite, rien. Tu sais ce que c'est, hein, Mitchie ? Tu fais tout ce que tu peux et c'est toi qui trinques pendant que le big boss continue à s'engraisser.

— Pourquoi il est pas en prison, le big boss ?

Denny haussa les épaules.

— Combien coûte un juge, à ton avis ?

Mitch regardait fixement à travers le pare-brise, sans un mot. Un feu passa au vert, et la circulation accéléra de nouveau. Il finit par ouvrir la bouche :

— Je vais lui brûler la cervelle, Denny.

33

Le lendemain soir, ils procédèrent un peu différemment, histoire de changer leur routine. Denny déposa Mitch et les deux sacs dans une ruelle derrière le Moore Building, avant d'aller se garer quatre bons pâtés de maisons plus loin et de le rejoindre à pied. Il reviendrait avec la voiture une fois le travail fini.

Mitch l'attendait à l'intérieur du bâtiment. Prenant l'escalier, ils gravirent les douze étages dans un silence complet. Les sacs pesaient chacun près de trente kilos ; après tout, ils n'étaient pas là pour s'amuser.

À peine sortis sur le toit, leur parvint le bruit de la circulation de Connecticut Avenue, mais il leur fallut s'approcher tout au bord pour voir quelque chose.

La façade entière de l'immeuble étant éclairée la nuit, on ne distinguait d'en bas qu'un triangle de briques haut de six mètres au lieu de l'habituelle ligne plate du toit. L'endroit formait comme un observatoire à oiseaux, avec une vue parfaite sur le Mayflower en face, qui restait l'un des hôtels les plus réputés de Washington.

Denny procéda au repérage pendant que son compagnon se préparait pour le tir au pigeon.

La cible, Skip Downey, était un homme aux habitudes réglées comme du papier à musique. Une suite en particulier avait sa préférence, ce qui rendait la tâche de Denny sacrément plus facile qu'en d'autres circonstances.

Pour l'instant, les rideaux étaient ouverts, signe que Downey n'avait pas encore pris possession des lieux.

Vingt minutes plus tard, il était là avec son « amie », attendant que le chasseur empoche son pourboire de vingt dollars et déguerpisse de la suite.

Downey incarnait le stéréotype du millionnaire, avec son crâne dégarni dissimulé sous une mèche blond-roux ridiculement rabattue sur le front. Il faut croire qu'il aimait les femmes au look intellectuel. Sa compagne du jour, coiffée d'un chignon sage, portait de grosses lunettes à monture d'écailles et un petit tailleur dont la jupe était pourtant bien trop courte pour une bibliothécaire qui se respecte.

— Hmm, tu dois être un bon coup, ma belle, chantonna Denny. Deuxième rangée de fenêtres en partant du haut, la quatrième à compter du coin… C'est bon, tu l'as ?

Mitch étudiait les lieux par sa lunette de visée ; il débloqua le cran de sûreté du fusil.

— Je l'ai. Hé, joli petit cul ! Dommage d'abîmer cette poupée, non ?

— C'est pour ça que tu vas cibler son épaule, Mitchie. Il en faut juste assez pour la neutraliser. Downey en premier, la fille ensuite.

— Downey en premier, la fille ensuite, répéta Mitch avant de prendre sa position définitive.

Dans le salon de la suite, Downey préparait deux whiskies avec des glaçons. Après avoir vidé son verre d'un trait, il se dirigea droit vers la fenêtre.

— Prêt à tirer ? demanda Denny.

— Prêt.

La vedette du jour s'apprêtait à fermer les lourds rideaux couleur moka, ses bras largement écartés formant un *V*.

— Envoie !

34

À 22 h 30 ce soir-là, je me tenais sur le toit du Moore Building, observant dans l'hôtel en face la suite où Skip Downey venait de rejoindre la communauté, encore réduite mais croissante, de personnes récemment décédées sous des balles de sniper.

Avec cette dernière victime, le nombre d'incidents s'élevait à trois : le chiffre magique. Nos bonshommes étaient désormais des tueurs en série pour l'opinion publique.

En bas, Connecticut Avenue se transformait en une forêt d'antennes satellites mobiles de radio et de télévision, et mon expérience me disait que la blogosphère était sur le point de se déchaîner officiellement.

— Tu arrives à me voir? demandai-je dans mon émetteur.

Je communiquais par radio avec Sampson qui se trouvait dans la suite, à l'endroit précis où Skip Downey avait été abattu.

— Agite le bras, bouge un peu, répondit-il. Ah, te voilà. C'est vrai, c'est un bon poste d'affût.

Derrière moi, quelqu'un se racla la gorge.

Pivotant sur moi-même, je découvris Max Siegel, immobile. *Génial. Justement celui que je ne voulais pas voir.*

— Excusez-moi. Je n'avais pas l'intention de vous faire peur.

— Pas de problème, répliquai-je.

Pas de problème autre que sa présence ici.

— Alors, qu'est-ce qu'on a?

Il s'approcha pour avoir une vue identique à la mienne et regarda de l'autre côté de la rue.

— Ça fait un tir à combien de mètres? continua-t-il. Cinquante, environ?

— Moins, rectifiai-je.

— Donc, ils ne cherchent manifestement pas à se surpasser. En tout cas, pas en termes de distance.

Je remarquai qu'il avait dit « ils » et me demandai s'il avait fait partie de la téléconférence du FIG, ou s'il était arrivé tout seul à cette conclusion.

— À part ça, le mode opératoire est similaire, déclarai-je. On a tiré en position debout. Le calibre des balles semble correspondre. Sans parler, bien sûr, du profil de la cible.

— Un sale type qui faisait les gros titres.

— Exact. Beaucoup de gens se sont fait arnaquer par ce Downey. Tous ces assassinats portent la marque de pseudo-justiciers.

— Puis-je vous donner mon avis ? demanda Siegel, ce qui n'était bien entendu qu'une question rhétorique. Je pense que vous simplifiez trop. Ces types ne sont pas en chasse, pas dans le sens traditionnel. Et il n'y a rien de personnel dans leur façon de procéder, elle démontre un détachement complet.

— Pas tout à fait complet, objectai-je. L'empreinte sur la première scène a dû être laissée délibérément.

— Mettons que ce soit vrai, ça n'implique pas forcément que cette série de meurtres était leur idée.

Je me lassais déjà de ses discours.

— Et alors, où voulez-vous en venir ?

— N'est-ce pas assez évident ? Ce sont des tueurs à gages, ils travaillent pour quelqu'un. S'il existe un programme, il a été établi par la personne qui paie la note. Celle qui veut la mort de toutes ces crapules.

À son habitude, il avait exposé son opinion comme un fait qu'on ne saurait remettre en question. Cependant, cette théorie n'était pas totalement absurde. Je me devais de la prendre en compte, et je le ferais sans faute. Un point pour Max Siegel.

— Je suis un peu surpris, lui avouai-je avec sincérité. En général, le FBI s'appuie sur des preuves plus tangibles et se tient à l'écart des suppositions.

— Eh bien, j'ai de nombreuses surprises en réserve, répondit-il en plaçant une main indésirable sur mon épaule. Il faut avoir une vision plus large, inspecteur, si vous me permettez.

Je ne lui permettais absolument pas, toutefois j'étais résolu à faire ce dont Siegel semblait incapable : me montrer irréprochable.

35

Après cet échange, je quittai rapidement la scène de crime du Mayflower, ravi d'avoir une excuse pour m'éloigner de Siegel.

Notre seconde victime cette nuit-là, Rebecca Littleton, avait été transportée à l'hôpital de l'université George Washington pour y être soignée d'une blessure par balle à l'épaule. Selon l'interne des urgences, il s'agissait d'un traumatisme « pénétrant », et non « perforant ». En d'autres termes, la balle n'était pas ressortie. Si je me dépêchais, j'avais une chance de voir Rebecca avant l'opération.

À mon arrivée, elle se trouvait toujours aux urgences, allongée sur un lit roulant dans l'une des alcôves fermées par des rideaux bleus. La Bétadine suintait en auréoles sombres à travers le bandage de son épaule, et si les calmants qu'on lui administrait par perfusion parvenaient à apaiser sa douleur physique, ils n'avaient en revanche aucune efficacité sur son état mental : pâle comme un spectre, elle paraissait terrifiée.

— Rebecca? Je suis l'inspecteur Cross, de la police de Washington. J'ai besoin de m'entretenir avec vous.

— Suis-je, euh, accusée de quelque chose? s'inquiéta-t-elle.

Je ne lui donnais pas plus de dix-huit ou dix-neuf ans; une gamine à peine majeure. Elle parlait d'une toute petite voix, tremblotante qui plus est.

— Non, lui assurai-je. Rien de la sorte. Je dois juste vous poser quelques questions. J'essaierai de faire vite et de vous faciliter les choses.

En vérité, même si l'on voulait la poursuivre pour racolage et prostitution, il n'y avait aucun témoin, à l'exception possible de l'homme qui avait tiré sur elle.

— Auriez-vous la moindre idée de qui a fait ça? Avez-vous vu quelqu'un par la fenêtre? Ou simplement remarqué quelque chose d'inhabituel dans la suite?

— Je ne crois pas, mais... Je ne me rappelle quasiment de rien. M. Downey a commencé à fermer les rideaux, et c'est alors que je me suis... retrouvée par terre. Je ne sais même pas ce qui s'est passé ensuite. Ou juste avant.

En fait, elle s'était traînée jusqu'au téléphone placé sur un guéridon et avait appelé les secours. La scène lui reviendrait probablement en mémoire petit à petit, mais je n'insistai pas pour le moment.

— Était-ce la première fois que vous rencontriez M. Downey ?

— Non. C'était plus ou moins un habitué.

— Et toujours au Mayflower ?

Elle acquiesça de la tête.

— Il aimait cette suite. Nous allions toujours dans la même.

Une infirmière en blouse rose entra dans l'alcôve.

— Rebecca, mon chou ? L'équipe est prête pour vous, là-haut. On y va ?

Les rideaux autour de nous furent tirés et plusieurs personnes apparurent. L'un des internes se mit à débloquer les roulettes du lit.

— Encore une question, dis-je. Depuis combien de temps étiez-vous dans la suite quand cela s'est produit ?

Rebecca ferma les yeux pour mieux réfléchir.

— Cinq minutes, peut-être ? On venait d'arriver. Inspecteur… je suis étudiante ! Mes parents…

— Vous ne serez inculpée de rien, mais votre nom sera sans doute rendu public. Vous devriez appeler vos parents, Rebecca.

Je l'accompagnai tandis qu'on faisait rouler son lit dans le couloir jusqu'à l'ascenseur. Il semblait n'y avoir aucun membre de sa famille, aucun ami dans les parages, et cela me fendit un peu le cœur qu'elle soit seule pour traverser cette épreuve.

— Écoutez, je suis passé par là, moi aussi. J'ai reçu une balle dans l'épaule, et je sais à quel point c'est angoissant. Vous allez vous en remettre, Rebecca.

— Si vous le dites, murmura-t-elle.

Je ne pensais pas l'avoir convaincue. Elle avait toujours l'air terrifiée.

— Je viendrai prendre de vos nouvelles plus tard, lui promis-je, juste avant que les portes de l'ascenseur ne se referment sur elle.

36

Je regagnai en hâte ma voiture et griffonnai immédiatement quelques notes dans mon carnet, appuyé sur le volant, m'efforçant de rassembler toutes les idées qui me traversaient l'esprit.

Selon Rebecca, Downey et elle n'avaient passé que très peu de temps dans la suite. Cela signifiait que les snipers étaient déjà en place et prêts avant leur arrivée. Ils savaient exactement à quel endroit se trouver et à quelle heure, de même qu'ils avaient su quand Vinton et Pilkey se rendraient au restaurant, et qu'ils étaient informés de l'absence des voisins de Mel Dlouhy lorsqu'ils étaient venus l'assassiner.

La personne à l'origine de ces exécutions connaissait parfaitement les habitudes des victimes, les allées et venues de leur voisinage, et jusqu'aux moindres détails de la vie privée de ces figures publiques.

Une telle récolte de renseignements nécessitait du temps, des effectifs, du savoir-faire, et certainement de l'argent.

Je repensai aux propos de Siegel, sur le toit du Moore Building, plus tôt dans la soirée : « Ce sont des tueurs à gages. » Je n'avais pas exclu cette hypothèse alors, et j'étais maintenant un peu plus disposé à l'envisager sérieusement. À vrai dire, il me déplaisait que Siegel m'ait coupé l'herbe sous le pied. Je ne réagis pas ainsi à l'ordinaire, mais il avait le don de me prendre à rebrousse-poil.

À l'évidence, ces assassinats obéissaient à une forme de plan précis et méthodique. Si un tireur aussi compétent avait souhaité la mort de Rebecca, nul doute qu'elle n'y aurait pas échappé. Toutefois, elle ne correspondait pas au profil des cibles; son seul crime avait été de se trouver au mauvais endroit au mauvais moment. À la différence des autres victimes. Selon les règles apparentes de ce jeu, Rebecca ne méritait pas de mourir, contrairement à Skip Downey et aux autres « méchants » de Washington.

Alors, qui menait le jeu ? Qui en écrivait les règles ? Comment cela se terminerait-il ?

Je n'avais pas encore assez d'éléments pour écarter l'hypothèse que nos tueurs opéraient de leur propre chef. Cependant, en raison d'une paranoïa grandissante – ou d'une longue expérience –, plusieurs théories bien plus effrayantes prenaient forme dans mon esprit.

Les ordres pouvaient-ils provenir du gouvernement ? D'une agence nationale ? Internationale ?

À moins que la mafia ne soit impliquée d'une manière ou d'une autre ? Ou bien l'armée ? Ou même un seul individu avec de très bonnes relations, de gros moyens et un sérieux compte à régler ?

Dans tous les cas, les questions les plus importantes restaient posées : qui avaient-ils en vue pour prochaine cible ? Et comment étions-nous censés protéger chaque ordure haut placée de Washington ? C'était tout bonnement infaisable.

Sauf coup de chance extraordinaire entre-temps, quelqu'un d'autre allait mourir avant la fin de cette affaire. Et, plus que certainement, une personne que beaucoup ne seraient pas fâchés de voir disparaître. C'était là toute la beauté de ce jeu terrifiant.

37

Le lendemain marqua un tournant dans mes rapports avec Nana. Nous étions en froid depuis que j'avais imposé dans la maison la présence de la société de sécurité ; mais quand je descendis le matin et la trouvai affairée à préparer un petit déjeuner pour Rakeem et ses hommes, je compris que nous étions en bonne voie pour surmonter notre différend.

— Ah, Alex, tu es là ! Parfait. Porte ces assiettes aux garçons dehors, file pendant que c'est chaud !

m'ordonna-t-elle tout naturellement, comme si la livraison de petits déjeuners relevait de mes tâches quotidiennes.

À mon retour, un repas copieux m'attendait : œufs brouillés accompagnés de *linguiça*, délicieuse saucisse portugaise, toasts de pain complet, jus d'orange, ainsi que le mélange café-chicorée de Nana fumant dans mon vieux mug préféré avec l'inscription *Super Papa*, ébréché depuis qu'Ali l'avait lancé contre le mur.

Les petits déjeuners de ma grand-mère étaient ces temps-ci beaucoup plus légers et diététiques, composés de quartiers de pamplemousse, de toasts avec du beurre sans sel et de thé. Et quand même d'une demi-saucisse nature car, comme elle aime à le dire, la frontière est très mince entre une nourriture saine qui fait vivre plus longtemps et une nourriture qui fait mourir d'ennui.

Elle finit par s'asseoir en face de moi.

— Alex, je veux conclure une trêve.

— Je lève mon verre à cette résolution ! déclarai-je, joignant le geste à la parole avec mon jus d'orange. J'accepte tes conditions, quelles qu'elles soient.

— Parce qu'il y a autre chose dont je souhaite discuter avec toi.

J'éclatai de rire malgré moi.

— Je n'ai jamais vu de cessez-le-feu aussi court ! On est où, là, au Proche-Orient ?

— Oh, détends-toi. Il s'agit de Bree.

À ma connaissance, Bree se trouvait dans les petits papiers de Nana, à côté du pain en tranches, de Barack Obama et du courrier écrit à la main. Cela ne pouvait pas être bien grave...

— Tu sais, avec toutes ces histoires, tu serais un véritable idiot de laisser cette fille te filer entre les doigts.

— Absolument, approuvai-je. Et si la cour m'y autorise, j'aimerais attirer son attention sur la très jolie bague en diamants qui orne le doigt de Mlle Stone.

Nana écarta ma brillante démonstration d'un mouvement de fourchette.

— Les bagues s'enlèvent avec autant de facilité qu'elles s'enfilent. Ne m'en veux pas de te le rappeler, mais tu as des antécédents avec les femmes, et pas des bons.

Ouille, coup bas ! Impossible de le nier, pourtant. Quelle qu'en soit la cause, je n'avais jamais été capable de trouver une réelle stabilité dans une relation depuis que ma femme, Maria, avait été assassinée de nombreuses années auparavant.

Du moins jusqu'à ma rencontre avec Bree.

— Si cela peut te rassurer, j'ai emmené Bree à l'Immaculée Conception pour lui demander une nouvelle fois, devant Dieu, de m'épouser.

— Et qu'a-t-elle répondu ? s'enquit Nana, le visage de marbre.

— Eh bien, elle doit encore réfléchir à la question. Non, sérieusement, Nana, d'où te vient cette inquiétude ? T'ai-je donné une raison de douter de nous ?

Elle en était arrivée à sa demi-saucisse, et d'un geste de l'index m'enjoignit d'attendre pendant qu'elle la dévorait avec amour, presque avec dévotion. Puis, passant sans transition à un autre sujet de conversation, elle déclara, les yeux fixés sur moi :

— Tu te rappelles que je vais avoir quatre-vingt-dix ans, cette année ?

Malgré le sourire complice qu'elle affichait (on était plus près des quatre-vingt-douze ans, à mon avis), ses paroles me pétrifièrent.

— Nana, il y a quelque chose que tu ne me dis pas ?

— Non, non, je me porte comme un charme. Je ne pourrais pas aller mieux. J'anticipe l'avenir, voilà tout. Personne ne dure éternellement. Enfin, pas que je sache.

— Eh bien, anticipe un peu moins, d'accord ? Et je te signale que tu n'es pas une pièce de voiture. Tu es cent pour cent irremplaçable.

— Bien sûr que je le suis ! renchérit-elle en posant sa main sur la mienne. Et toi, tu es un père solide, capable et merveilleux. Mais tu ne t'en sortiras pas tout seul, Alex. Pas si tu continues à gérer de la même manière l'autre partie de ta vie.

— Possible, en effet, mais ce n'est pas pour cela que j'épouse Bree. Et ce ne serait pas une bonne raison de toute façon.

— Ma foi, il y en a de pires. Simplement, ne gâche pas tes chances, mon grand.

Et elle se laissa aller contre son dossier, avec un clin d'œil pour m'indiquer qu'elle plaisantait.

À moitié, en tout cas.

38

Ce matin-là, je me présentai à l'hôpital Saint-Anthony avec un moral d'acier. Selon moi, la discussion avec Nana, certes un peu difficile, s'était révélée constructive. J'avais le sentiment que nous faisions de nouveau équipe. Peut-être fallait-il y voir le signe d'une amélioration en général.

Mais ce n'était pas si sûr…

Lorraine Solie, l'assistante sociale chargée de Bronson James, m'attendait à l'accueil. Dès que j'aperçus ses yeux rouges et gonflés, mon ventre se serra d'inquiétude.

— Lorraine ! Que se passe-t-il ?

À peine avait-elle commencé ses explications qu'elle fondit en larmes. J'avais pourtant souvent vu cette femme grande et très mince tenir tête à de véritables brutes. Seul un événement tragique avait pu la plonger dans une telle détresse.

Je l'emmenai dans mon bureau et la fis s'asseoir à côté de moi sur le divan en skaï où se perchait habituellement Bronson durant nos séances.

Je ne résistai pas plus longtemps à l'envie de l'interroger.

— Lorraine… Il est mort ?

— Non, répondit-elle en s'essuyant les yeux. Mais on lui a tiré dessus, Alex. Il a été transporté à l'hôpital avec une balle dans la tête, et ils ne pensent pas qu'il puisse reprendre connaissance.

J'étais abasourdi. Je n'aurais pas dû l'être, c'était le sort que j'avais essayé de ne pas considérer comme inévitable pour Bronson. C'était également la raison pour laquelle je m'étais efforcé de ne pas trop m'attacher à ce garçon, sans pourtant y parvenir.

— Qu'est-il arrivé? demandai-je. Racontez-moi tout. S'il vous plaît.

Peu à peu, Lorraine me rapporta d'une voix entrecoupée le reste de l'histoire. Bronson avait apparemment tenté de braquer un magasin de boissons alcoolisées dans le quartier de Congress Heights – l'enseigne de la boutique était Cross Country Liquors, précisa-t-elle. Si la coïncidence avec mon nom, Cross, me frappa, je n'en tirai pas de conclusion particulière. Mon esprit était trop occupé par Bronson pour se soucier d'autre chose.

C'était sa première tentative de vol à main armée, pour autant que nous sachions. Il s'était rendu dans le magasin avec un pistolet, mais le gérant en possédait un, lui aussi; rien de surprenant à cela. Congress Heights se situait parmi les quartiers chauds bien connus de la police en matière de crimes violents. Une partie du problème tenait au fait que les résidents, excédés, avaient commencé à contre-attaquer dans la rue, chez eux et dans leurs commerces.

Devant le refus du gérant d'obtempérer, Bronson avait tiré le premier et raté sa cible; l'homme avait riposté et touché Bronson à l'arrière du crâne. Pop-Pop avait de la chance d'être encore en vie, si l'on pouvait qualifier ainsi son état.

— Où est-il, Lorraine? Je veux le voir.

— Il a été emmené à Howard, mais je ne sais pas où Medicaid[1] le fera soigner. Vous savez que l'administration du placement des mineurs est en constante restructuration. C'est une vraie pagaille.

— Et l'arme ? Avez-vous la moindre idée de l'endroit où il se l'est procurée ?

— Les choix ne manquent pas, répondit-elle avec amertume. Alex, il n'a jamais eu l'ombre d'une chance.

C'était la vérité, sur tous les plans. J'avais plus ou moins dans l'idée qu'il s'agissait d'une initiation de gang, et la personne qui l'avait envoyé là-bas connaissait exactement les risques encourus par Bronson. C'était leur mode de fonctionnement. S'il réussissait son coup, le gang le prendrait dans sa bande ; dans le cas contraire, il ne lui était d'aucune utilité.

Bon sang, je détestais vraiment Washington, parfois. Ou peut-être aimais-je trop cette ville pour supporter ce qu'elle était devenue.

---

1. Organisme offrant des prestations sociales comparables à la couverture maladie universelle en France.

39

À l'entrée du Georgetown Waterfront Park, Denny étudiait les lieux, tandis que Mitch se balançait d'un pied sur l'autre tout en terminant un soda géant au cola.

— Pourquoi on est là, Denny ? C'est pas que ça me dérange, c'est cool ici.

— Ça fait partie du plan, mon pote. Regarde si quelqu'un est en train de surfer sur la Toile.

Du Key Bridge jusqu'au centre nautique Thompson Boat Center, l'espace vert aménagé le long du Potomac grouillait de touristes, de riverains et d'étudiants, qui profitaient tous du temps printanier avant que l'humidité ne s'installe vraiment. Bien entendu, nombre d'entre eux étaient penchés sur des ordinateurs portables, dont certains, à n'en pas douter, équipés d'une connexion Internet.

Mitch et Denny feraient d'une pierre deux coups pendant qu'ils étaient là : vendre leurs journaux chacun de leur côté et chercher en même temps une bonne cible.

Au bout d'une demi-heure environ, quelques abrutis d'une fraternité étudiante que Denny avait repérés délaissèrent leurs ordinateurs pour jouer au frisbee sur la pelouse. Il s'assit dans l'herbe près des affaires abandonnées et attira discrètement l'attention de Mitch, qui prit position contre le grillage en bordure du fleuve.

Dès que le frisbee eut entraîné les joueurs assez loin de lui, Denny fit le geste convenu – se gratter le sommet du crâne – et Mitch se lança dans sa scène de démence.

Il se mit à hurler à pleins poumons, à battre des bras comme un oiseau, avant d'empoigner le grillage qu'il secoua tel un fou furieux dans une cage. Durant trente secondes au moins, tous les yeux aux alentours furent braqués sur lui.

Denny agit rapidement. Il glissa l'un des ordinateurs des étudiants, un joli petit MacBook Air, au milieu de sa pile de journaux, se leva et s'éloigna d'un pas vif. Un instant plus tard, il se dirigeait droit vers la sortie du parc.

Alors qu'il passait sous l'autoroute Whitehurst, il entendait encore Mitch continuer son numéro, bien plus longtemps que nécessaire. Il n'y avait pas de mal, ils en rigoleraient ensuite, ou du moins le gros costaud. Il se marrait d'un rien, celui-là !

Le Suburban était garé à mi-pente sur la colline, dans une petite rue à proximité du Chesapeake & Ohio Canal. Denny s'installa dans le véhicule, alluma l'ordinateur et se mit au travail.

Dix minutes plus tard, il descendait de voiture, un seul objectif en tête.

Il contourna le pâté de maisons jusqu'à un escalier branlant en bois qui menait au vieux canal, huit mètres en contrebas de la rue. Le chemin de halage gravillonné qui le longeait attirait de nombreux joggeurs, mais il lui fallut à peine le temps de fumer la moitié d'une cigarette pour se retrouver seul quelques instants.

Se penchant en avant, il lâcha sans bruit dans l'eau saumâtre l'ordinateur qui coula rapidement au fond ; on ne le reverrait probablement jamais. C'était presque trop facile.

Mission accomplie, se félicita mentalement Denny. Sur ce, avec un sourire satisfait, il remonta l'escalier pour aller chercher ce cinglé de Mitch.

40

Dans le bureau de l'hebdomadaire *Le Vrai Journal*, l'agitation était à son comble cet après-midi-là, pas plus toutefois que n'importe quel autre jour de bouclage. Alors que la version définitive du numéro devait arriver chez l'imprimeur avant 19 heures, aucune correction n'avait encore été effectuée et le temps filait.

Colleen Brophy se frotta les yeux, s'efforçant de se concentrer sur son éditorial. Rédactrice en chef depuis deux ans, son travail avait beau toujours la passionner, elle subissait les effets d'une pression constante. Si le journal ne sortait pas à temps, quatre-vingts sans-abri n'auraient rien à vendre, et il leur faudrait alors commencer à choisir entre des priorités telles que petit déjeuner, déjeuner ou dîner.

Aussi lorsque Brent Forster, l'un des étudiants stagiaires, interrompit le fil de ses pensées pour la énième fois ce jour-là, Colleen dut faire appel à toute sa volonté pour ne pas le découper en rondelles et le manger tout cru.

— Hé, Coll ! Tu veux bien jeter un coup d'œil à ça ? C'est vraiment intéressant. Coll ?

— Débrouille-toi tout seul, sauf s'il y a le feu ! lança-t-elle au jeune blanc-bec.

— Eh bien, disons que ça brûle.

Elle n'eut besoin de pivoter qu'à demi son fauteuil pour regarder par-dessus l'épaule du jeune homme, l'un des rares avantages à travailler dans un minuscule espace.

Sur l'écran de Brent s'affichait un e-mail envoyé par un certain jayson.wexler@georgetown.edu avec en objet : *Des renards dans le poulailler*.

— Je n'ai pas de temps pour les spams, Brent. Ni maintenant, ni jamais. De quoi s'agit-il ?

Le stagiaire fit rouler sa chaise pour laisser sa place à Colleen.

— Lis donc, Coll.

41

à la population de washington :

y a des renards dans le poulailler. ils arrivent la nuit quand personne regarde et prennent ce qui leur appartient pas. ensuite ils s'engraissent avec ce qu'ils ont volé pendant que tellement d'autres ont faim et tombent malades et meurent même des fois.

y a qu'un moyen de se débarrasser des renards. on négocie pas et on essaye pas de les comprendre. on attend qu'ils se pointent là où on se cache et on leur met une balle dans la tête. des études montrent que les renards morts sont à 100 % moins capables de nous plumer, ha ha.

vinton pinkey dlouhy downey c'est juste un début. y a plein d'autres renards là d'où ils sont venus. ils sont dans notre gouvernement, nos médias, écoles, églises, forces de l'ordre, à wall street, partout, et ils ruinent ce pays. quelqu'un peut dire le contraire ?

à tous les renards qui rôdent, écoutez bien, nous venons vous chercher, nous allons vous pourchasser et vous abattre avant que vous puissiez faire plus de mal que vous en avez déjà fait. corrigez-vous maintenant ou payez le prix.

dieu bénisse les états-unis d'amérique !

signé : un patriote

Colleen se recula brusquement de l'ordinateur.

— Un patriote ? C'est sérieux, ce truc ?

— C'est drôle que tu demandes ça, répondit le stagiaire, avant d'ouvrir un deuxième e-mail. Enfin, pas vraiment drôle, mais… Regarde toi-même.

p.s. pour le vrai journal : vous pouvez dire à la police de washington que c'est pas une blague. nous avons laissé une empreinte digitale sur la statue du lion dans le mémorial de la police, près de d street. elle correspondra à celles qui ont déjà été trouvées.

Colleen pivota de nouveau pour se retrouver devant son propre bureau.

— Veux-tu que je téléphone à la police ? demanda Brent.

— Non, je m'en charge. Toi, appelle l'imprimerie. Préviens-les que nous allons avoir un ou deux jours de retard, et qu'il me faudra vingt mille exemplaires cette fois. Et mille du numéro de la semaine dernière, pour nous dépanner en attendant.

— Vingt mille ? !

— Exact. Et si les vendeurs posent des questions, réponds-leur que ça vaut la peine d'attendre.

Colleen eut son premier sourire de la journée.

— Ils vont tous manger un peu plus à leur faim, cette semaine.

42

Dès que la police fut informée des e-mails adressés au *Vrai Journal*, je téléphonai à un ancien contact à la cyberbrigade du FBI, Anjali Patel. Nous avions fait équipe sur l'affaire du Showman, et je la savais capable de tenir le coup sous la pression.

Peu après, nous arrivions ensemble aux bureaux de l'hebdomadaire, une pièce mise à disposition gratuitement dans une église d'E Street.

— Vous n'avez pas le droit de nous empêcher de publier ça !

Ce furent les premiers mots de Colleen Brophy, la rédactrice en chef, après les présentations d'usage. Elle continua à pianoter furieusement sur son clavier tandis que nous restions debout avec trois de ses collègues, entassés dans cet espace minuscule.

— Qui a ouvert ces e-mails en premier ? demandai-je à la ronde.

— C'est moi.

Un garçon débraillé, en âge d'être à l'université, leva la main. Son tee-shirt proclamait : PAIX, JUSTICE ET BIÈRE.

— Je m'appelle Brent Forster, ajouta-t-il.

— Brent, voici l'agent Patel, du FBI. Vous allez devenir inséparables. Elle va jeter un coup d'œil à votre ordinateur. Immédiatement !

J'avais travaillé assez longtemps avec Patel pour savoir qu'elle se débrouillerait toute seule de ce côté-là.

— Et madame Brophy ? enchaînai-je en tenant la porte ouverte. Pourrions-nous discuter un instant dehors, s'il vous plaît ?

Elle se leva alors, de mauvaise grâce, et attrapa un paquet de cigarettes sur son bureau. Je la suivis jusqu'au bout du couloir, où elle ouvrit une fenêtre avant de s'en allumer une.

— Ce serait bien de faire ça vite, je suis vraiment débordée aujourd'hui.

— Je n'en doute pas, répliquai-je. Mais à présent que vous tenez votre scoop, il me faut votre coopération dans cette histoire. Il s'agit d'une affaire de meurtre.

— Naturellement ! assura-t-elle.

Elle nous avait pourtant accueillis avec autant d'enthousiasme qu'une poussée d'herpès. Nombreux sont les sans-abri, et par extension les champions de leur cause, qui ont tendance à voir en un policier un adversaire plutôt qu'un allié. Je l'avais compris, mais pensais néanmoins : *tant pis pour elle*.

— Je n'ai pas grand-chose à raconter, affirma-t-elle. Nous avons reçu les e-mails il y a quelques heures.

En supposant qu'ils n'émanent pas de cet étudiant, Wexler, je n'ai aucune idée de leur provenance.

— C'est noté. Toutefois la personne en question a rendu à votre journal un énorme service, vous en conviendrez ? Je me demande s'il n'existerait pas un lien entre vous que vous pourriez nous aider à trouver.

— Et vous, vous conviendrez qu'elle a aussi un message important à faire passer, non ?

Elle me rappelait l'un de mes amis au FBI, Ned Mahoney, dans sa façon de parler à toute allure et d'agiter les mains. En outre, je n'avais jamais vu quelqu'un fumer aussi vite. Elle, pas Ned.

— J'espère que vous n'allez pas présenter ces types comme des sortes de héros.

— Ne me prenez pas pour une idiote, rétorqua-t-elle. J'ai obtenu un master en journalisme à Columbia. De plus, ils n'ont pas besoin de notre aide pour leur image. Ils sont déjà célèbres, et déjà des héros pour quiconque a les tripes de le reconnaître.

La colère accélérait mon pouls.

— Vos propos me surprennent beaucoup. Quatre personnes ont été tuées. Ces voyous sont tout sauf des héros.

— Savez-vous combien de gens à la rue meurent d'hypothermie chaque année ? Ou par manque de médicaments, parce qu'ils n'ont pas les moyens de se les payer, sans parler d'une visite chez le médecin ? Vos victimes, inspecteur, auraient pu améliorer l'existence d'un grand nombre de personnes au lieu d'aggraver leur sort. Mais ces hommes s'en sont bien gardés. Ils ne se préoccupaient que d'eux-mêmes, point. Je ne suis pas partisane du principe de se faire justice soi-même, mais j'aime les histoires avec une morale et il y en a une certaine dans tout ceci, vous ne trouvez pas ?

Elle était sur la défensive, mais en aucun cas stupide. Cette affaire pouvait se transformer en cauchemar sur le plan de l'opinion publique, précisément pour les raisons qu'elle venait d'énoncer. Néanmoins, je n'étais pas là pour en débattre. J'avais mes propres priorités.

— Il me faudrait la liste de vos vendeurs, annonceurs publicitaires, donateurs et employés.

— Il n'en est pas question, répliqua-t-elle du tac au tac.

— J'ai bien peur que si. Si vous préférez, nous allons attendre ensemble que le procureur général établisse une déclaration sous serment, puis que le juge la complète par une assignation qu'un huissier vous délivrera ici. Ou je peux vous débarrasser le plancher en cinq minutes. N'avez-vous pas dit tout à l'heure que vous étiez débordée ?

Elle me fusilla du regard pendant qu'elle écrasait sa cigarette sur le rebord de la fenêtre et empochait le mégot éteint.

— N'allez pas vous imaginer que la plupart de ces gens ont une adresse fixe, railla-t-elle. Vous ne les trouverez jamais tous.

Je ne me laissai pas décourager.

— Raison de plus pour que je m'y mette sans délai.

43

En sortant de la cour de l'église un quart d'heure plus tard, je découvris un cortège de véhicules de presse stationnés le long de la rue.

Puis ce fut Max Siegel que j'aperçus. Du moins son dos.

Campé sur le trottoir, il s'adressait à plus d'une douzaine de reporters, pérorant avec assurance.

— Notre cyberbrigade s'applique à remonter à la source de tous les canaux de communication possibles, affirmait-il quand je m'approchai. Cependant, nous sommes enclins à croire, selon les apparences, qu'il s'agit d'un ordinateur portable volé.

— Excusez-moi, agent Siegel ? l'interrompis-je.

Il se tourna vers moi, aussitôt imité par son auditoire, et je me retrouvai assailli de micros et de caméras.

— Puis-je vous dire un mot, s'il vous plaît ?

— Bien entendu, répondit-il, un sourire jusqu'aux oreilles. Veuillez m'excuser, tout le monde !

Je retournai dans la cour et attendis qu'il me rejoigne. L'endroit était au moins un peu plus privé.

— Qu'y a-t-il, Cross ?

Le dos tourné à la presse, je pris un ton bas.

— Vous devriez faire plus attention à qui vous parlez.

— Ça veut dire quoi, exactement ? Je ne vous suis pas.

— Pour être clair, je connais mieux Washington que vous, et en particulier la moitié de ces journalistes là-bas, sur le trottoir. Stu Collins, par exemple. Il espère devenir à la fois Woodward et Bernstein[1]; or il a tout sauf le talent pour y arriver. Soyez certain qu'il déformera vos propos. Et Shelly Je-ne-sais-plus-comment, avec le gros micro rouge ? Elle descend le FBI en flammes à la moindre occasion. Nous avons déjà eu une fuite que nous ne pouvions pas nous permettre. Je ne veux pas courir le risque qu'il y en ait une autre.

Il me regardait comme si je parlais en swahili. Et brusquement, une pensée me frappa.

— Nom de Dieu ! Je vous en prie, ne me dites pas que c'est vous qui avez mentionné à la presse ces véhicules dans Woodley Park. Dites-moi que je me trompe, Siegel ! insistai-je en le dévisageant.

— Vous vous trompez.

Il avait répondu sans hésiter. Il fit un pas vers moi et baissa la voix.

— Ne m'accusez pas de choses dont vous ne savez rien, inspecteur. Je vous avertis...

— BOUCLEZ-LA !

Ce fut tout autant son « avertissement » que son attitude menaçante qui me poussa à la grossièreté. J'avais eu ma dose de ses conneries pour la journée.

Pourtant, je regrettai aussitôt d'avoir crié, le groupe de journalistes nous observait depuis le trottoir. Je respirai à fond et tentai une nouvelle approche.

— Écoutez, Max...

---

1. Robert Woodward et Carl Bernstein, reporters dont l'investigation sur « le scandale du Watergate » a entraîné la démission du président Richard Nixon, en 1974.

— Pour qui me prenez-vous, Alex ? me coupa-t-il, avant de reculer pour mettre un peu d'espace entre nous. Je ne suis pas vraiment un bleu. Je garderai vos recommandations à l'esprit mais vous devez me laisser faire mon boulot, de même que je vous laisse travailler en paix.

Il alla jusqu'à sourire et tendre la main, comme s'il souhaitait calmer le jeu et non retourner la situation à son avantage. En raison des regards braqués sur nous, je lui serrai la main sans rechigner, mais ma première impression sur le personnage n'avait pas changé d'un iota. Cet agent avait pour point faible un ego démesuré et, malheureusement, je n'avais que peu de moyens de le brider.

— Veillez juste à être prudent, lui rappelai-je.

— Je le suis toujours, répliqua-t-il. Prudence est mon deuxième prénom.

44

— Tu vois le mec là-bas, Mitchie ? Le grand Black qui parle avec le type en costard ?

— Celui qui ressemble à Mohamed Ali ?

— Eh bien, c'est ce flic, Alex Cross. Et je crois que l'autre est du FBI. Deux poulets, qui viennent seulement de basses-cours différentes.

— Ils m'ont pas l'air très contents, fit remarquer Mitch.

— Parce qu'ils cherchent quelque chose qu'ils ne trouveront jamais. On joue dans la cour des grands, maintenant, mon pote. Juste toi et moi. On est devenus intouchables.

Mitch fut pris d'un fou rire, incapable de se contenir sous l'excitation.

— Quand est-ce qu'on va encore frapper, Denny ?

— On est en train de le faire, regarde. Nous devons d'abord répandre la bonne parole, mettre les gens de notre côté. Et ensuite : bang ! Nous les surprendrons de nouveau au moment voulu. Ce truc des e-mails sert à ça, à faire passer le message.

D'un hochement de tête, Mitch fit mine d'avoir compris, sans chercher pourtant à cacher sa déception. Ce n'était pas le genre de mission dont il parlait.

— Ne t'inquiète pas, le rassura Denny. Tu seras remonté en selle plus tôt que tu ne le crois. En attendant... allons-y. Ça va être super, fais-moi confiance.

Le camion de l'imprimeur venait de se garer devant l'entrée latérale de l'église. Il se disait partout que la prochaine édition du *Vrai Journal* – l'exclusive ! – sortirait avec quelques jours de retard, aussi celle de la semaine passée avait été réimprimée afin de permettre aux vendeurs de tenir le coup entretemps. Ceux qui aideraient à décharger recevraient gratuitement trente exemplaires de plus à vendre. Cela signifiait soixante dollars à eux deux, et une somme pareille pouvait être très utile si l'on savait s'y prendre.

Alors qu'ils se dirigeaient vers le camion, une voix s'éleva avec colère dans la cour de l'église.

— BOUCLEZ-LA !

Il s'agissait d'Alex Cross.

— Oh, oh…, fit Denny. On dirait que les poulets ont une prise de bec.

— Ou plutôt qu'ils se volent dans les plumes, non ? répliqua Mitch.

Cette fois, ce fut Denny qui se tordit de rire.

45

Ils établirent leur point de vente sur un site en chantier près de Logan Circle et, avant la tombée de la nuit, leurs poches étaient gonflées de billets d'un dollar et de monnaie, leur pile de journaux écoulée.

L'argent supplémentaire leur permit de se payer deux bons *cheesesteaks*, une bouteille de Jim Beam, un paquet de clopes pour chacun, deux joints mal roulés fournis par un gars qu'ils connaissaient à Farragut Square et, surtout, une piaule pour la nuit dans un motel miteux de Rhode Island Avenue.

Denny prit dans la voiture son vieux radiocassette dont les piles étaient mortes, mais qu'ils pourraient brancher dans la chambre, histoire de s'offrir un peu d'ambiance pour accompagner leur petite fête.

Comme c'était bon de s'allonger sur un vrai matelas pour changer, de fumer un pétard, sans s'inquiéter de l'extinction des lumières à heure fixe ni de qui tenterait de voler votre barda au milieu de la nuit.

Lorsque la radio diffusa un vieux tube des Lynyrd Skynyrd, Denny dressa l'oreille. Il y avait bien longtemps ; Mitch ne devait même pas le connaître.

Cause I'm free as a bird, now…

— Tu entends cette chanson, Mitchie ? Écoute les paroles. Putain, c'est exactement ça.

— Quoi, Denny ?

— La liberté, mec. La différence entre nous et ces saletés d'escrocs qu'on a descendus. Tu crois que des gens comme eux sont libres ? Tu parles, sûrement pas ! Même pour se moucher ils consultent d'abord un comité à propos de détails à la con ! C'est pas la liberté, ça. C'est une saloperie de boulet accroché à leur cou.

— Et une cible dessinée sur leur cul !

Mitch se mit à glousser comme un môme. Il ressentait visiblement les effets de la drogue, ses yeux ressemblaient à des billes roses, sans compter qu'il avait aussi bu plus que sa part de Jim Beam.

— Tiens, mec. Finis-la, dit Denny en lui tendant la bouteille.

Puis il se rallongea et écouta les Lynyrd Skynyrd un moment, comptant les fissures au plafond, jusqu'à ce que Mitch commence à ronfler.

— Ho, Mitchie ?

Pas de réponse. Denny se leva et lui tapota l'épaule.

— Tu pionces, mon pote ? On dirait bien. Ça s'entend aussi.

Mitch roula simplement sur le côté et continua de ronfler, encore un peu plus fort.

— Bon, d'accord. Denny a une petite course à faire. Dors bien, mec.

Il enfila ses grosses bottes noires, attrapa la clef de la chambre. En un éclair, il avait disparu.

46

D'un pas pressé, Denny rejoignit la 11e, puis suivit M Street jusqu'à Thomas Circle. Quel plaisir de sortir seul, sans avoir Mitch sur le dos pour une fois ! Le gamin l'amusait par de nombreux côtés, mais il savait également se montrer encombrant.

Juste après le Washington Plaza Hotel, dans la relative tranquillité de Vermont Avenue, une Lincoln Town Car noire était garée sous un pommier sauvage en fleurs.

Il remonta l'avenue sur le trottoir opposé, traversa au croisement de N Street, et la redescendit. Arrivé à la hauteur de la voiture, il s'y engouffra par la portière arrière.

— Vous êtes en retard. Où étiez-vous passé ?

Son contact était toujours le même homme, qui affichait invariablement un air guindé. Il se faisait appeler Zachary, à supposer que ce soit son vrai nom. Peu importait. Aux yeux de Denny, qui d'ailleurs ne se prénommait pas ainsi, ce trouduc n'était rien de plus qu'une fourmi bien payée, dans un costume Brioni.

— Je ne suis pas totalement maître de mon emploi du temps, rétorqua Denny. Mettez-vous donc ça dans le crâne une bonne fois.

Zachary ne releva pas le ton insolent. À sa façon de ne jamais montrer la moindre émotion, ce type faisait penser à Spock, dans *Star Trek*.

— Avez-vous un problème à me soumettre ? s'enquit-il. Quelque chose dont je devrais être au courant ?

— Aucun. Rien qui nous empêche de passer à l'étape suivante.

— Qu'en est-il de votre tireur ?

— Mitch ? À vous de me le dire, associé. C'est vous autres qui avez vérifié ses antécédents.

— Mais comment se comporte-t-il sur le terrain ? insista Zachary.

— Exactement comme le pantin que j'imaginais. Pour lui, il s'agit d'un show de « Mitch & Denny », point final. Il est complètement sous mon contrôle.

— Eh bien nous aimerions malgré tout prendre des précautions supplémentaires.

De la poche intérieure de sa veste, il sortit deux feuilles pliées qu'il remit à Denny. Chacune comprenait un plan de ville imprimé, avec un nom et une adresse notés dessous à la main, et une photographie en couleurs fixée par un trombone.

— Attendez un peu, objecta Denny après les avoir regardées. Il n'a jamais été question de ce genre de choses.

— Nous n'avons jamais défini aucun paramètre. Et c'est justement l'idée, rappelez-vous. J'espère que vous n'allez pas commencer à chicaner sur des détails !

— Ce n'est pas ce que j'ai dit. Seulement, je n'aime pas trop les surprises.

Le rire de Zachary fut moins que convaincant.

— Oh, voyons, Denny… C'est vous le roi en matière de surprises ! Vous avez mis tout Washington sur des charbons ardents.

Zachary se pencha vers le siège avant pour prendre une pochette en toile des mains du chauffeur, et la posa sur l'accoudoir du milieu. Le contrat s'était conclu sur la base d'un paiement au coup par coup, et le prix de Denny, comme toujours, n'avait pas été négociable.

La pochette contenait six lingots en or non numérotés, de dix onces chacun et d'une pureté au moins égale à neuf cent quatre-vingt-dix-neuf millièmes, soit vingt-quatre carats. Il n'y avait pas plus transportable que l'or, et le fait qu'il soit difficile de se le procurer permettait à Denny de faire d'emblée le tri dans la clientèle.

Il s'accorda quelques minutes pour mémoriser les détails de la nouvelle mission, avant de rendre les papiers à Zachary et de saisir la pochette. Une fois les lingots enveloppés dans un vieux sac plastique qu'il tira de la poche de sa veste, il ouvrit la portière, prêt à partir.

— Une dernière chose, lui lança Zachary. On est un peu à l'étroit, là-dedans. Vous pourriez penser à prendre une douche la prochaine fois que nous aurons rendez-vous.

Denny claqua la portière derrière lui et s'éloigna, s'enfonçant de nouveau dans la nuit.

Moi, je me baigne dans l'or, se dit-il ; *mais toi, tu baigneras toujours dans ta connerie de larbin*.

47

Le jour suivant, la sonnette de la porte d'entrée retentit au milieu du dîner. D'ordinaire, c'était le téléphone, et presque toujours un appel d'une camarade de Jannie. Dire qu'elle se demandait pourquoi je ne voulais pas lui acheter un portable…

— J'y vais ! lança-t-elle d'une voix flûtée en sautant de sa chaise.

— Je parie cinq dollars que c'est Terry Ann, déclarai-je.

Bree sortit de l'argent qu'elle posa sur la table.

— Et moi je mise sur Alexis.

Qui que ce soit, il avait à l'évidence obtenu le feu vert des hommes de Rakeem.

Or, Jannie s'en revint immédiatement, le visage vide d'expression, comme sous l'effet d'un choc.

Et c'est alors que Christine Johnson pénétra dans la cuisine.

— Maman ! s'écria Ali.

Dans sa hâte à se lever, il renversa sa chaise et courut vers sa mère, qui le souleva pour le prendre dans ses bras.

— Regarde-moi ça ! Tu as tellement changé ! s'exclama-t-elle.

Tout en le serrant fort contre sa poitrine, elle sourit à la ronde par-dessus l'épaule d'Ali, de ce sourire éblouissant dont je me souvenais si bien, celui qui proclamait que tout allait pour le mieux dans le meilleur des mondes, même lorsque c'était loin d'être le cas.

— Mon Dieu ! s'étonna-t-elle, parcourant du regard la tablée. On dirait que vous avez vu un fantôme !

En un sens, c'était ce que je ressentais. Quelques années auparavant, à sa demande, nous avions signé une convention qui m'accordait la garde légale d'Ali. Elle le voyait chez elle, à Seattle, un mois chaque été et quinze jours répartis sur l'année scolaire. J'avais posé comme seule condition que nous observions strictement cet accord, pour le bien de tous. Nous nous y étions conformés pour l'instant… du moins jusqu'à ce soir.

— Je ne reconnais pas mon garçon !

Elle reposa Ali par terre et l'examina de la tête aux pieds, les yeux embués de larmes.

— Comment as-tu pu grandir autant depuis la dernière fois ?

— Je ne sais pas ! cria Ali sur un ton perçant, avant de nous prendre à témoin.

Je souris pour lui faire plaisir.

— Tu as vu qui est là, fiston ! Incroyable, non ? (Je regardai Christine fixement.) Quelle surprise !

— Je plaide coupable, dit-elle, sans se départir de son sourire. Bonsoir Regina.

— Christine.

La voix de Nana était tendue et contrôlée ; il me semblait entendre gronder l'orage.

— Et vous devez être Bree. Quelle joie de vous rencontrer enfin. Je suis Christine.

Égale à elle-même, Bree se montra fantastique. Elle se leva d'un bond et s'approcha de Christine pour lui donner l'accolade.

— Vous avez un fils extraordinaire.

Du Bree tout craché : elle trouve toujours le moyen d'être sincère en n'importe quelle circonstance, même dans une situation aussi inconfortable que celle-ci.

— Hé, maman, tu veux voir ma chambre ?

Ali tirait déjà la main de sa mère pour l'entraîner vers l'escalier dans le vestibule.

— Bien sûr que oui, répondit-elle.

Son regard se porta sur moi, pour obtenir ma permission, j'imagine. En fait, tout le monde s'était mis à m'observer.

— Et si nous y allions tous les trois ? suggérai-je.

Je repoussai ma chaise et les suivis hors de la cuisine. Au pied des marches, Christine fit une halte et se retourna tandis qu'Ali montait en courant.

— Je sais ce que tu penses, dit-elle.

— Ah oui ?

— Ce n'est rien, Alex, honnêtement. Juste une visite surprise. Je participe à une conférence à Washington, cette semaine… Et je n'en pouvais plus d'être éloignée d'Ali.

Je me demandais s'il fallait la croire. Christine avait révélé une personnalité très inconstante au fil des années, en particulier au sujet de la garde de l'enfant ; après s'être battue comme une lionne pour l'obtenir, elle avait baissé les bras tout aussi vite.

— Tu aurais pu appeler avant. Tu aurais dû, Christine !

Sous le coup de l'excitation, Ali hurlait presque, depuis le palier.

— Allez, venez !

— On arrive, bonhomme ! lançai-je.

Dans l'escalier, je m'adressai à Christine à voix basse :

— Cette petite surprise de ta part ne va pas créer de précédent. Il n'y aura rien de plus. Nous sommes d'accord ?

— Parfaitement, assura-t-elle en tendant la main derrière elle pour me serrer le bras. Croix de bois, croix de fer, si je mens je vais en enfer.

48

Le lendemain, mon emploi du temps fut si chargé que je ne songeai guère à Christine ; la matinée et la plus grande partie de l'après-midi filaient à toute allure.

Je rendis visite à Bronson et à Rebecca dans leurs hôpitaux respectifs, menai quelques entretiens complémentaires à Woodley Park, conférai avec un représentant du procureur au sujet d'une autre affaire et, pour finir, je pris un moment au bureau pour réduire quelque peu ma pile de rapports en souffrance.

Vers 15 heures, alors qu'en guise de déjeuner tardif je m'achetais un sandwich dans un coffee-shop Firehook près du Daly Building, je reçus un appel de l'école d'Ali.

— Docteur Cross ? Ici Mindy Templeton, de Sojourner Truth.

Secrétaire de l'école depuis des années, Mindy était déjà en poste durant la période où Christine avait occupé la fonction de directrice.

— Je suis un peu embarrassée par la situation, Christine Johnson s'est présentée ici pour emmener Alexander, et son nom n'apparaît pas dans la liste des proches habilités. Je souhaitais juste votre permission avant de le laisser partir.

— QUOI ?

Je n'avais pas fait exprès d'élever la voix à ce point ; tous les clients du coffee-shop se tournèrent vers moi. En une seconde, j'étais sur le trottoir, le portable toujours collé à l'oreille.

— Mindy, la réponse est non. Christine ne doit pas emmener Ali, vous avez bien compris ?

— Oui, c'est entendu.

— Je ne veux pas vous alarmer, continuai-je sur un ton plus calme. Demandez seulement à Christine de m'attendre, s'il vous plaît. Je serai là dès que possible. Dans un quart d'heure, environ. Je me mets en route sur-le-champ.

Au moment où je raccrochai, je courais déjà en direction du parking, l'esprit totalement perturbé. Mais à quoi pensait donc Christine ? Avait-elle planifié cela depuis le début ?

Et, dans ce cas, quelles étaient ses intentions ?

Quant à moi, je n'avais qu'un objectif : arriver au plus vite à l'école.

49

— Je suis sa mère, pour l'amour de Dieu ! Je ne faisais rien de mal ! Je ne suis pas l'un de tes kidnappeurs d'enfants.

Christine se mit sur la défensive à la minute où j'apparus. Nous nous disputions dans le couloir pendant qu'Ali attendait dans le bureau de l'administration.

— Christine, il existe des règles pour ce genre de choses, auxquelles tu te conformais, avant. Tu ne peux pas te pointer tranquillement ici et t'imaginer que…

— Que dis-tu ? me coupa-t-elle avec brusquerie. Brianna Stone, cette femme que je connais à peine, est autorisée à venir chercher mon fils à l'école, et moi je ne peux pas ? La moitié des instituteurs savent encore qui je suis !

— Tu ne m'écoutes pas.

Je ne parvenais pas à déterminer si elle essayait d'échapper aux reproches par une pirouette ou si elle se croyait sincèrement dans son droit.

— Et de toute façon, que comptais-tu faire exactement avec lui ? demandai-je.

— Oh, ne me regarde pas comme ça, fit-elle avec dédain. J'avais prévu de t'appeler.

— Mais tu ne l'as pas fait. Une fois de plus.

— Après avoir récupéré Ali, je voulais dire. Nous serions allés manger une glace, et il aurait été de retour chez toi pour le dîner. Maintenant, il est bouleversé et inquiet. Cela ne devait pas forcément tourner au drame, Alex.

J'avais l'impression d'entendre un piano désaccordé. Tout sonnait légèrement faux. Même ses vêtements. Elle s'était mise sur son trente-et-un : tailleur en lin blanc ajusté, escarpins retenus par une bride, maquillage soigné. De fait, elle était absolument superbe. Mais qui cherchait-elle à impressionner ?

Après une profonde inspiration, je tentai à nouveau de parler raisonnablement avec elle.

— Qu'est devenue ta conférence ?

Pour la première fois, ses yeux se détournèrent de moi. Elle contempla l'un des panneaux d'affichage accrochés sur les murs du couloir. Couvert de dessins au pastel représentant des voitures, des avions, des trains et des bateaux, il était intitulé « MOYENS DE TRANSPORT » en lettres découpées dans du papier épais coloré.

— As-tu vu celui d'Ali ?

Elle pointait du doigt le voilier signé par notre fils. Évidemment que je l'avais vu !

— Christine, regarde-moi en face. Elle existe vraiment cette conférence ?

Elle croisa les bras et battit des paupières à plusieurs reprises tandis qu'elle affrontait mon regard.

— Et alors, s'il n'y en avait pas ? Est-ce un crime si mon fils me manque ? D'avoir pensé qu'il aimerait avoir sa maman et son papa dans la même pièce, pour une fois ? Mon Dieu, Alex, quel homme es-tu devenu ?

Elle avait apparemment réponse à tout, excepté à mes questions. La seule partie que je ne mettais pas en doute était son amour pour Ali et le fait qu'elle souffrait de son absence. Néanmoins, cela ne me suffisait pas.

— D'accord, voici ce que l'on va faire, déclarai-je. Nous allons prendre une glace tous les trois. Ensuite, tu lui diras au revoir, et tu le reverras en juillet, comme d'habitude. Si tu t'imposes encore à l'avenir, nous passerons de nouveau par une conciliation. Ce ne sont pas des paroles en l'air, Christine. Ne me mets pas à l'épreuve, s'il te plaît.

À ma surprise, son visage s'éclaira d'un sourire.

— Plutôt un dîner, alors. Seulement nous trois, et après je monterai dans mon avion pour Seattle comme une gentille petite fille. C'est d'accord ?

— Je ne peux pas.

Sa bouche se resserra en une ligne droite et dure.

— Tu ne peux pas ou tu ne veux pas ?

La réponse était les deux, mais je n'eus pas le temps de dire quoi que ce soit car la porte du bureau de l'administration s'ouvrit soudain, laissant apparaître Ali. Il avait l'air si seul, il semblait si effrayé !

— Quand est-ce qu'on s'en va ? demanda-t-il.

Christine le souleva pour le serrer dans ses bras, de la même façon que la veille au soir. Il n'y avait plus aucune trace dans ses yeux des éclairs de rage que j'y avais vus l'instant précédent.

— Devine quoi, mon ange ? Nous allons manger une glace. Toi, moi et papa, maintenant. Qu'est-ce que tu penses de ça ?

— Je peux avoir deux boules ? exigea-t-il aussitôt.

Je partis d'un éclat de rire, tout à fait sincère.

— Toujours prêt à marchander, hein, bonhomme ? répondis-je. Va pour deux boules. Pourquoi pas ?

Quand nous sortîmes de l'école, Ali nous prit chacun par la main, et ce ne fut plus que sourires de tous côtés. Il ne m'avait cependant pas échappé que Christine ne s'était engagée à rien.

50

Il était 18 h 15 lorsque je pénétrai dans le Hoover Building pour mon rendez-vous de 17 h 30. Je me fis enregistrer à l'accueil avant d'emprunter l'ascenseur.

Le centre d'analyse et de partage d'informations où travaillait l'agent Patel aurait pu se trouver au siège de n'importe quelle entreprise américaine, avec son dédale de boxes hideux beige et mauve, son faux plafond trop bas et son éclairage au néon. Seule particularité notable : les innombrables ordinateurs, dont au minimum un en réseau interne et deux connectés au monde extérieur trônant sur chaque bureau. L'équipement, tout droit sorti d'un film de science-fiction – serveurs énormes et rangées de moniteurs de surveillance –, était installé ailleurs au même étage, caché derrière des portes closes.

Patel sursauta quand je tapotai sur la cloison à mi-hauteur qui délimitait son espace de travail.

— Alex ! Bon Dieu ! Vous m'avez fait peur.

— Pardon. Et excusez-moi d'être tellement en retard. J'imagine que l'agent Siegel n'est plus dans le coin ?

Si l'idée de terminer ma journée avec lui ne m'emballait pas, j'étais pourtant venu, au nom de l'esprit de collaboration.

— Il en a eu assez d'attendre, répondit-elle. Nous sommes censés le rejoindre au cinquième, dans l'une des salles de réunion du SIOC.

Elle composa son numéro et laissa un message le prévenant que nous étions en chemin, mais à notre arrivée, ô surprise ! aucune trace de Siegel. Au bout de quelques minutes, nous commençâmes sans lui. Ce qui me convenait parfaitement.

51

Patel m'informa rapidement de ses découvertes au sujet des e-mails reçus par *Le Vrai Journal*. Elle n'avait en fait pas grand-chose de nouveau, du moins pas à ce stade de son enquête.

— En se basant sur leur en-tête, l'adresse IP de l'expéditeur, et sur ce que j'ai obtenu de l'administration de l'université de Georgetown, le compte e-mail de Jayson Wexler était ouvert et actif au moment où les deux messages ont été envoyés.

— Ce qui ne veut pas dire que Wexler les ait fait partir lui-même, fis-je remarquer.

— En effet. Cela indique seulement qu'ils ont été expédiés depuis son compte ou bien qu'ils ont transité par lui.

— Transité ?

— Il est possible que quelqu'un ait utilisé un serveur proxy anonyme n'importe où et retransmis les messages via celui de l'université ; toutefois, ce n'était vraiment pas nécessaire. Un ordinateur portable volé qu'on ne retrouvera jamais, c'est comme une autopsie sans cadavre. Vous feriez mieux de chercher un témoin du vol proprement dit.

— Nous avons ratissé très large dans le secteur où, selon Wexler, on lui a pris son ordinateur, déclarai-je. Cela ne nous a menés nulle part. En outre, les caméras de surveillance les plus proches, celles du service des transports publics, se trouvent dans K Street en bordure du parc et elles n'ont rien enregistré d'insolite. C'est un peu bizarre que personne n'ait remarqué quoi que ce soit.

Patel se cala dans son siège, faisant tourner un stylo entre ses doigts.

— Bon, je continue ? Parce qu'il y a d'autres mauvaises nouvelles.

Je passai machinalement la main sur ma bouche et mon menton, l'un de mes vieux tics.

— Vous êtes un vrai rayon de soleil aujourd'hui, hein ?

— À strictement parler, la suite c'est la partie de Siegel, alors ne tirez pas sur le messager, plaisanta-t-elle.

J'aimais travailler avec Patel, car elle parvenait à garder son sens de l'humour en toutes circonstances, un humour noir et subtil.

— Allez-y. J'ai les épaules solides, je peux encaisser n'importe quoi.

— C'est au sujet de cette signature, « un patriote », sur l'un des e-mails. Depuis que *Le Vrai Journal* les a publiés, ce surnom a déchaîné l'opinion, de façon effrayante. Il y a des gens qui écument de rage aux deux extrémités des tendances politiques, des radicaux de l'antimondialisation jusqu'aux « survivalistes » de la droite dure. Le FBI s'occupe déjà de parer à l'éventualité d'assassinats perpétrés en hommage au sniper.

À partir de son ordinateur portable, elle effectua une recherche sur un navigateur du domaine public. En moins d'une minute s'affichèrent sous mes yeux des pages et des pages de résultats. Sites Internet, blogs, vidéoblogs, forums de discussion, médias traditionnels, presse marginale, tous ajoutaient foi au prétendu « patriotisme » motivant les meurtres dans l'affaire du sniper.

Ce genre de réactions ne me surprenait guère. Kyle Craig à lui seul avait des légions de fans, ou de disciples comme il préférait les appeler. Patel avait néanmoins raison, tout ceci présentait un danger potentiel autrement plus grave : la naissance d'un mouvement populaire composé de citoyens pour qui était en jeu rien moins que le sort de l'Amérique, et qui considéraient la violence systématique comme seule solution ayant une chance de réussite.

— Vous connaissez le meilleur moyen d'exciter les forcenés ? demanda-t-elle, penchée par-dessus mon épaule. Enveloppez votre dogme dans le drapeau des États-Unis et attendez de voir qui mord à l'hameçon. Effrayant, comme je disais !

52

Vers 19 h 30, nous avions enfin terminé la réunion. Nous nous apprêtions à partir quand Patel se tourna vers moi. La lueur subite dans ses yeux ne laissait pas le moindre doute… et m'effrayait également, d'une toute autre manière que le reste.

— Avez-vous déjà goûté à du *chana masala*[1] fait maison ? demanda-t-elle.

Je craignais cependant de pécher par excès de présomption.

— Fait maison ? Jamais.

— Parce que je suis bonne cuisinière, en dépit des apparences. (Elle désigna d'un geste son pantalon classique gris et son chemisier blanc.) Je pense que mes collègues me prennent pour une bête de travail qui rentre le soir retrouver ses sept chats et ses plats tout préparés.

— Cela m'étonnerait de vous.

Patel avait toujours évoqué pour moi un diamant brut. C'était le genre de femme à laisser tout le monde bouche bée lorsqu'elle arrive sur son trente et un à la fête de Noël du bureau.

— Bref, ma voiture est en réparation, continua-t-elle. Je me suis dit que si vous pouviez m'économiser le prix d'un taxi en me raccompagnant, je vous revaudrais ça avec un dîner.

1. Plat indien à base de pois chiches et d'épices.

C'est alors qu'elle me désarçonna complètement : elle posa sa main sur la mienne.

— Il y aura peut-être même un dessert, ajouta-t-elle. Qu'en pensez-vous ?

— Je pense que vous êtes une femme surprenante.

Nous partîmes d'un rire un peu nerveux.

— Écoutez, Anjali...

— Oh, là, là ! me coupa-t-elle en lâchant ma main. Ce n'est jamais bon signe quand ils commencent avec le prénom de la dame.

— J'ai quelqu'un dans ma vie. Nous allons nous marier.

Avec un hochement de tête entendu, elle se mit à rassembler ses affaires.

— Vous savez ce qu'on dit à propos des hommes bien, n'est-ce pas ? Soit pris, soit gays. D'ailleurs, ce sera le titre de mes mémoires. Vous croyez que ça se vendra ?

Cette fois nous nous esclaffâmes de bon cœur. Cela eut pour effet de dissiper la tension ; un soulagement pour nous deux.

— Cette invitation me flatte, déclarai-je avec sincérité.

À une autre période de ma vie, j'aurais assurément fait honneur au *chana masala*. Et peut-être aussi au dessert.

— Je peux quand même vous raccompagner si vous voulez.

— Ne vous inquiétez pas. (Elle coinça son ordinateur sous son bras et me tint la porte de la salle de réunion.) Puisque finalement je ne ferai pas de cuisine, je vais rester ici et avancer dans mon travail. Et si vous aviez la gentillesse d'oublier que nous avons eu cette conversation...

J'arborai ma plus belle expression d'innocence, les yeux écarquillés, tandis que je passais devant elle pour sortir.

— Quelle conversation ? Je ne me souviens de rien.

53

Ce même soir, après un souper réchauffé, les enfants étant couchés depuis longtemps, je reçus un appel de Christine.

À la seconde où son nom s'afficha sur l'écran de mon portable, je me sentis plus que jamais déchiré. Je ne pouvais pas l'ignorer purement et simplement, mais une discussion de plus était la dernière chose dont j'avais envie à cette heure. Une seule raison me poussa à décrocher au bout du compte : la dissuader d'une nouvelle visite inopinée à la maison.

— Qu'est-ce qu'il y a, Christine ?

J'entendis immédiatement qu'elle pleurait.

— C'est mal ce que tu as fait aujourd'hui, Alex. Tu n'étais pas obligé de me rejeter de cette façon.

Je sortais déjà de la chambre pour gagner mon bureau et j'attendis pour répondre d'avoir fermé la porte derrière moi.

— Eh bien si, pourtant. Tu as débarqué ici à l'improviste et, pire encore, tu as menti. Plus d'une fois.

— Uniquement parce que je pensais que notre fils méritait de voir sa famille réunie !

Nous avions réussi à nous disputer en un temps record, ce qui en disait long sur notre relation. Toute cette histoire m'épuisait et ravivait en moi les sentiments douloureux que j'avais éprouvés durant la bataille juridique pour la garde d'Ali.

— Ali voit sa famille chaque jour. Sans sa mère, c'est tout.

— Comment peux-tu dire une chose pareille ! protesta-t-elle en éclatant de nouveau en sanglots.

— Je n'essaie pas de te blesser, Christine, je décris la situation telle qu'elle est.

Ma patience ne tenait plus qu'à un fil très fragile. Christine avait bien cherché ce qui lui arrivait, en montrant une telle inconstance dans son rôle de mère.

— Eh bien, ne t'en fais pas, ton souhait est exaucé. Je suis à l'aéroport.

— Mon seul souhait est que chacun de nous soit heureux des choix qu'il a faits.

— Tant que ton bonheur passe en premier, hein, Alex ? Ça n'a pas toujours été comme ça, peut-être ?

C'est à ces paroles que le fil se cassa.

— Aurais-tu oublié que c'est toi qui m'as quitté ? criai-je avec colère. Te souviens-tu que je t'ai suppliée de rester à Washington ? Que c'est toi qui as abandonné Ali ? Nom d'un chien, cela t'est donc sorti de la tête !

— Ne me crie pas dessus ! hurla-t-elle en retour.

Je n'en avais pas terminé.

— Et maintenant, quoi ? Tu t'imagines effacer tout ce qui s'est passé depuis, simplement en te pointant ici la bouche en cœur ? Ça ne marche pas comme ça, et même si je le pouvais je n'y changerais rien !

— Non, dit-elle d'une voix étranglée, aussi tendue qu'un arc. Manifestement pas.

Sur ce, elle me raccrocha au nez. J'en fus stupéfait autant que soulagé. Peut-être me mettait-elle à l'épreuve pour voir si j'allais la rappeler, mais je n'en avais pas la moindre envie. Je demeurai assis sur le sofa du bureau, les yeux fixés au plafond, tentant de me ressaisir.

Quand je songeais à l'immense amour que j'avais autrefois ressenti pour Christine, c'en était presque choquant. À l'époque, rien ne comptait plus pour moi que de former tous ensemble, elle, les enfants et Nana, une famille unie pour toujours. Désormais, cela me paraissait le passé d'un autre.

Et je voulais que Christine sorte de ma vie.

54

Il était près de minuit lorsque l'agent Anjali Patel sortit du Hoover Building et s'engagea sur le trottoir d'E Street, tendant le cou à la recherche d'un taxi. Dès qu'il l'aperçut, Kyle Craig, alias Max Siegel, avança sa voiture garée à l'angle du bâtiment et descendit la vitre avant, côté passager.

— Quelqu'un a demandé un taxi ? lança-t-il.

Elle lui offrit une jolie vue sur son décolleté tandis qu'elle se penchait pour distinguer le conducteur.

— Max ? Que faites-vous ici ? Il est tard.

— Excusez-moi pour tout à l'heure. Un imprévu m'a forcé à filer. Je suis juste venu récupérer ma voiture, mais je peux vous raccompagner, et vous me mettrez au courant pendant le trajet.

Le regard de Patel balayant la rue était éloquent. Aucun taxi à l'horizon, peu de circulation, d'ailleurs.

Les collègues de Max Siegel semblaient préférer le tenir à distance respectueuse, conformément à ses plans. Cette attitude lui garantissait la tranquillité dont il avait besoin, et il saurait toujours effectuer un rapprochement si nécessaire, au moment opportun. Maintenant, par exemple.

— Allez, insista-t-il. Je ne mords pas. Je ne dirai même pas de mal de Cross derrière son dos. Promis.

— Bon... D'accord.

Avec un sourire étudié, elle monta à côté de lui.

Son parfum était citronné, remarqua-t-il. À moins qu'il ne s'agisse de son shampoing. Une senteur agréable, en tout cas. Féminine. Elle lui donna l'adresse de son domicile, situé dans le quartier de Shaw.

Puis elle se mit à discuter sans interruption de l'affaire en cours. De la sorte, elle ne laissait aucune place à une éventuelle gêne, qu'un inhabituel échange de banalités aurait pu engendrer.

Kyle roulait vite, passant au feu orange à chaque occasion. Il n'avait pas touché à une femme depuis cette fille de l'agence immobilière, et le simple fait de penser à elle suffisait à lui provoquer une érection.

Lorsqu'il tourna dans la rue de Patel, il écrasa la pédale de l'accélérateur une dernière fois, et finit en roue libre jusqu'à une boutique à la devanture sombre, quelques mètres après le petit immeuble en brique jaune où elle habitait.

— Hé, c'était là ! s'exclama-t-elle en regardant en arrière. Vous êtes allé trop loin.

55

Kyle tourna lui aussi la tête vers l'arrière. La rue était déserte, aucun piéton ni passage de véhicule.

— Oups, désolé ! Je me suis trompé de numéro.

— Bon, alors... Merci de m'avoir raccompagnée.

Elle avait déjà la main sur la poignée de la portière.

— Et c'est tout ? fit-il.

— Pardon ? Je ne suis pas sûre de vous suivre.

— En principe, voyez-vous, c'est le moment où vous me proposez un petit dîner fait maison.

La figure de Patel se rembrunit. Les yeux plissés, elle le dévisagea dans la pénombre de l'habitacle, se refusant sans doute encore à croire qu'il s'agissait d'autre chose que d'une étrange coïncidence.

— Je ne suis pas très bonne cuisinière, Max.

— Oh, cela m'étonnerait ! Avez-vous déjà vu l'un de ces appareils ? (Il sortit de sa poche de poitrine un petit boîtier noir, de la taille d'un briquet.) C'est un transmetteur GSM miniature. On peut le placer pratiquement n'importe où.

Elle jeta un bref coup d'œil à l'objet.

— Ah oui ?

Son malaise et l'effort qu'elle faisait pour le cacher étaient absolument délectables.

— Disons que j'ai assisté à la réunion entre Cross et vous, en fin de compte.

L'expression de la jeune femme changea de nouveau. Elle était furieuse à présent, ainsi qu'un peu gênée, au point de ne pas songer à avoir peur.

— Vous nous avez espionnés ? Max, qu'est-ce qui vous a pris de faire une chose pareille ?

— C'est votre première bonne question. Combien de temps avez-vous pour entendre la réponse ? (Sans la laisser prononcer un mot, il lui mit une main sur la bouche.) Attendez, c'est moi qui vais vous le dire. Vous n'en avez pas.

Le pic à glace, son arme favorite de toujours, était planté dans le larynx de Patel avant même qu'elle réussisse à hurler. Sa mâchoire s'ouvrit pourtant dans un cri silencieux.

Il se colla à elle, sa bouche sur la sienne, une main lui couvrant le nez ; un baiser de la mort au sens littéral, mais qui ressemblait à un banal baiser échangé par des amants dans une voiture, pour quiconque se serait avisé de regarder par la vitre. La force, le désir de vivre de la jeune femme n'étaient rien comparés aux siens. Par chance, l'écoulement de sang se réduisait au minimum. Patel avait été trop polie pour l'interroger au sujet du plastique protégeant les sièges. Ou de l'imperméable qu'il portait en cette nuit sans nuages.

Quand elle eut complètement cessé de bouger, l'excitation de Kyle ne fit que croître. Comme il aurait aimé passer sur la banquette arrière avec elle, tant que ses lèvres étaient encore chaudes et son ventre doux au toucher. Il avait envie d'être en elle, là, maintenant. Merde, quoi, elle lui appartenait !

Ce serait toutefois prendre un risque stupide et de plus parfaitement inutile. Des heures auparavant, il avait décidé que cette soirée ferait exception à la règle habituelle. Il l'avait bien mérité après tout, et c'était lui le maître du jeu, libre d'en varier les règles à son gré. D'ailleurs, de nombreux changements se profilaient à l'horizon.

Mais d'abord, il allait amener Anjali Patel chez lui : ils passeraient la nuit ensemble.

TROISIÈME PARTIE

MULTIPLICITÉ

56

Sampson savait que j'étais levé en général dès 5 heures, parfois plus tôt encore, mais que je sois réveillé ou non n'aurait fait aucune différence pour lui ce matin-là. D'après les bruits que j'entendais en arrière-plan et la tension dans sa voix, je devinai qu'il était dans la rue et déjà au travail.

— J'ai besoin d'un service, Alex. Un grand service, peut-être.

Par réflexe, je me mis à manger mes œufs plus vite sous le regard suspicieux de Nana. Les appels à l'aube ou au milieu de la nuit ne sont jamais un bon signe chez nous.

— Vas-y, je t'écoute. Je te préviens que Nana est là à m'observer, et je ne saurais dire si son œil mauvais est destiné à toi seul ou à nous deux.

— Oh, à vous deux ! ronchonna Nana d'une voix si grave qu'on aurait pu la prendre pour un grondement de fauve.

— Nous avons un homicide à Franklin Square. Une victime non identifiée. Ça ressemble énormément au cas bizarre que j'ai eu à Washington Circle, tu te souviens ?

Ma fourchette s'immobilisa en l'air.

— Celui avec les chiffres ? m'exclamai-je, surpris.

— Celui-là même. Est-ce qu'il y a une chance pour que tu viennes me donner un avis d'expert, avant que tout le monde s'en mêle ?

— Je suis en route.

Nous ne tenons pas le compte, John et moi, de qui doit le plus de services à qui. Notre règle tacite se résume à toujours nous aider mutuellement. Sous condition de ne faire appel à l'autre que si c'est réellement nécessaire.

Quelques minutes plus tard, je nouai ma cravate en dévalant les marches à l'arrière de la maison qui mènent au garage. Il faisait encore sombre dehors, pourtant le ciel laissait déjà entrevoir un gris ardoise compact ; autrement dit, une masse nuageuse avec risque de méchant orage… À l'image de la journée qui m'attendait.

D'après mes souvenirs de la précédente affaire de Sampson, il s'agissait précisément du genre de cas sur lequel le MPD ne pouvait s'offrir le luxe d'enquêter en ce moment.

Des mois auparavant, on avait découvert un jeune clochard battu à mort, avec une série de chiffres gravés avec minutie sur le front. L'histoire aurait probablement fait les gros titres de tous les médias de la région… si le pauvre homme n'avait pas été un junkie à la rue ! Même au sein de la police, ce crime n'avait pas généré beaucoup d'intérêt, certes un bel exemple d'injustice mais il y avait de quoi devenir fou si l'on s'attachait à la notion de « justice » dans notre chère capitale.

Et voilà que cela recommençait. Sauf que la situation était totalement différente. En raison de l'hystérie déclenchée par l'affaire du sniper, les pontes du MPD allaient faire du zèle dans tout nouveau cas un tant soit peu sensible. Ils balanceraient le meurtre à la brigade des enquêtes prioritaires avant la fin de la matinée.

Du coup, l'appel de John s'expliquait. Si mon unité récupérait l'affaire, étant en mesure d'affirmer que je travaillais déjà dessus, je demanderais à la diriger afin d'en charger Sampson. Notre façon à nous de contourner les règles, et Dieu sait que ce ne serait pas la première fois.

57

Le tueur aux nombres… Oh, non, pas maintenant !

À mon arrivée à Franklin Square, un cordon de sécurité avait déjà été mis en place devant chaque entrée du parc rectangulaire, et des voitures de patrouille stationnaient dans K Street et I Street, qui bordaient ses côtés les plus longs. Cependant, l'action semblait centralisée dans la partie à la limite de la 13e, où se tenait justement Sampson. Il me fit signe d'approcher.

— Tu me sauves la vie, ma poule ! s'exclama-t-il quand je l'eus rejoint. Je sais que ça tombe vraiment mal, en ce moment.

— Allons jeter un coup d'œil.

Protégés par leur coupe-vent bleu, deux techniciens de l'identité judiciaire s'affairaient derrière le ruban jaune en compagnie d'un médecin légiste que je reconnus aisément de dos.

Porter Henning est surnommé à son insu « Sumo » et, en vérité, il fait paraître notre « Sampson la Montagne » presque fluet sur le plan de la largeur. Je me suis toujours demandé comment Porter parvenait à se mouvoir sur certaines scènes de crime exiguës, mais il n'en est pas moins le plus perspicace des médecins légistes avec lesquels j'ai travaillé.

— Alex Cross, qui nous fait l'honneur de sa présence, lança-t-il à mon approche.

— Plains-toi auprès de lui, répliquai-je avec un geste du pouce vers Sampson.

Puis je m'arrêtai brusquement en découvrant le mort.

On dit que les cas extrêmes sont ma spécialité, ce qui est assez juste, et pourtant je ne me suis jamais habitué aux mutilations causées par la main de l'homme. La victime avait été abandonnée dans un fourré épais, allongée sur le dos. Ses multiples couches de vêtements sales le désignaient comme étant un vagabond, peut-être quelqu'un qui dormait là, dans le parc. En dépit des marques visibles de coups très violents, c'étaient les chiffres gravés sur son front qui faisaient la plus forte impression. De même que dans le meurtre précédent, cela paraissait presque insensé :

2^30402457-1

— Ce sont les mêmes que l'autre fois ? demandai-je à Sampson.

— Une série similaire, mais pas identique, non.

— Et a-t-on identifié la victime ?

John secoua négativement la tête.

— J'ai envoyé des hommes s'informer dans les environs, mais la plupart de ceux qui dorment sur des bancs ont décampé dès qu'on s'est pointés. Ce n'est pas exactement un climat de confiance qui règne vis-à-vis de nous, tu sais.

Je ne le savais en effet que trop. C'est l'une des raisons qui rendent si compliquées les enquêtes sur les décès de sans-abri.

— Il y a aussi le foyer qui se trouve à quelques pâtés de maisons d'ici, dans la 13e, continua John. Je compte m'y rendre ensuite, pour voir si quelqu'un aurait une idée de l'identité de cet homme.

La scène elle-même était difficile à interpréter. Des traces de pas récentes étaient imprimées dans la terre, des semelles plates, ni des bottes, ni des baskets. Ainsi que des marques en forme de sillons, peut-être laissées par un chariot de supermarché, qui pouvaient d'ailleurs n'avoir aucun lien avec l'assassinat. Les vagabonds poussaient leurs caddies dans le parc tous les jours. Et la nuit aussi.

— Quoi d'autre ? demandai-je à la ronde. Porter ? Tu as découvert quelque chose ?

— Ouais, que je ne rajeunis pas. À part ça, je dirais que la cause de la mort est un pneumothorax compressif, bien que les premiers coups aient probablement été portés ici, ici, et ici.

Il montrait du doigt le côté fracassé de la tête, d'où s'écoulait un suintement rosâtre qui remplissait l'oreille.

— Fracture de la base du crâne, de la mâchoire, de l'arcade zygomatique, tout le bataclan. Le seul point positif, si on peut dire, c'est que ce pauvre gars avait sans doute perdu connaissance quand c'est arrivé. Il porte des marques de piqûres sur tout le corps.

— Exactement comme la dernière fois, fit remarquer Sampson. Il s'agit forcément du même criminel.

— Et que penses-tu des incisions dans le front, Porter ? Elles t'inspirent quelques premières idées ?

C'était le travail au couteau le plus habile qu'il m'ait été donné d'observer. Les chiffres se lisaient clairement, les entailles étant peu profondes et nettes.

— Oh, ça c'est rien. Regarde donc le vrai chef-d'œuvre.

Porter se pencha pour rouler le jeune homme sur le flanc, et remonta le tee-shirt :

$$\zeta(s) = \sum_{n=1}^{\infty} \frac{1}{n^s}$$

— C'est une blague ou quoi ! m'exclamai-je.

L'équation mathématique s'étalait des omoplates à la taille. Je n'avais jamais rien vu de tel. Du moins, pas dans ce contexte. Sampson fit signe au technicien photographe de prendre un cliché.

— Ça, c'est nouveau, affirma-t-il. La fois précédente, les chiffres se trouvaient uniquement sur le visage. Du coup, je me demande si notre type ne se serait pas entraîné. Peut-être sur des corps que nous n'avons pas découverts.

— Eh bien, il tenait à ce que vous ne manquiez pas celui-ci, intervint Porter. C'est l'autre point important. Il n'y a pas assez de sang ici étant donné le nombre de traumatismes dus à la violence des coups. Quelqu'un a tabassé ce garçon, puis l'a amené dans le parc, et c'est seulement après qu'il a fait ses enjolivements au couteau.

— Ta-da, ta-da…

Le photographe s'était mis à fredonner le thème musical de la *Quatrième Dimension,* jusqu'à ce que Sampson le fusille du regard.

— Pardon, mais… je suis drôlement content de ne pas être à votre place, aujourd'hui.

Il n'était pas le seul à le penser.

— Donc la question est : pourquoi l'avoir amené ici ? conclut Sampson. Qu'est-ce que le tueur essaie de nous dire ? À nous ou à qui que ce soit d'autre ?

— Y a-t-il un matheux parmi nous ? s'enquit Porter avec une moue sceptique.

— Je connais une prof qui enseigne à Howard, déclarai-je. Sara Wilson. Tu te souviens d'elle, John ? (Celui-ci opina de la tête, plongé dans la contemplation des chiffres.) Je vais l'appeler, si tu veux. On pourrait aller la voir à l'université cet après-midi.

— Merci de ton offre, ce serait bien, oui.

C'était finalement bien plus qu'un rapide avis d'expert. Certes, le temps me manquait pour me consacrer à cette enquête, mais après avoir constaté les ravages dont ce criminel était capable, moi aussi je voulais sa peau.

58

Je connaissais Sara Wilson depuis plus de vingt ans. Elle et Maria, ma défunte épouse, avaient partagé une chambre en première année sur le campus de l'université de Georgetown, et elles étaient restées amies jusqu'à la mort de Maria. Par la suite, nos rapports s'étaient limités à des cartes de Noël et à des rencontres occasionnelles. Elle me serra pourtant avec chaleur dans ses bras dès qu'elle me vit, avant de saluer aimablement Sampson, dont elle avait gardé en mémoire non seulement le prénom mais le nom de famille.

Semblable à une cellule, son minuscule bureau se trouvait sur le campus de Howard, au sein de ce que l'on désignait platement comme le bâtiment B de soutien académique. Dans l'espace exigu s'entassaient des étagères chargées de livres du sol au plafond, un grand bureau aussi encombré que le mien, et un immense tableau blanc couvert de symboles mathématiques en différentes couleurs.

Sampson se jucha sur l'appui de la fenêtre tandis que je m'installais dans la chaise destinée aux visiteurs.

— Je sais que la période des examens approche, dis-je. Merci de nous recevoir.

— Je suis ravie de vous aider, Alex. Du moins, si je le peux ?

Elle fit redescendre de son front des lunettes sans monture pour étudier la feuille que je lui avais remise, sur laquelle étaient retranscrites les séries de chiffres et l'équation trouvées sur les victimes. Nous avions également apporté des photographies des scènes de crime, mais il était inutile d'infliger à Sara les aspects sordides des meurtres, sauf en cas d'absolue nécessité.

À peine avait-elle regardé le papier qu'elle pointa du doigt la formule la plus complexe, celle que nous avions vue le matin même sur le dos du mort non identifié.

— Il s'agit de la fonction zêta de Riemann. C'est du domaine des mathématiques théoriques. Cela a-t-il vraiment un rapport avec l'une de vos affaires ?

— Sans trop rentrer dans les détails, expliqua Sampson, nous nous demandons pourquoi une personne l'aurait en tête. Et peut-être de façon obsessionnelle.

— Nombreux sont ceux qui s'y intéressent, moi la première. Zêta est le cœur de l'hypothèse de Riemann, que l'on peut considérer comme le plus grand problème non résolu en mathématiques aujourd'hui. En l'an 2000, le Clay Institute a offert une récompense d'un million de dollars à quiconque démontrerait cette conjecture.

— Excuse-moi, démontrer quoi ? l'interrompis-je. Tu t'adresses à deux gars qui faisaient les clowns en cours d'algèbre au lycée.

Sara se redressa dans son fauteuil, prête pour un exposé.

— En gros, il s'agit de décrire la fréquence et la distribution des nombres premiers, et ce à l'infini, raison pour laquelle c'est si difficile. L'hypothèse a été vérifiée pour le premier milliard et demi de cas, mais alors on est poussé à s'interroger : qu'est-ce qu'un milliard et demi au regard de l'infini ?

— C'est justement ce que j'étais en train de me demander, intervint Sampson, la mine impassible.

Sara éclata de rire. Elle n'avait guère changé depuis le temps où nous mettions tous en commun le contenu de nos poches pour nous payer des pintes de bière. Le même sourire spontané, les cheveux aussi longs, flottant dans son dos.

— Et pour les deux séries de chiffres ?

Je faisais allusion à celles qui avaient été gravées sur le front des victimes.

Elle leur accorda un bref regard, puis se tourna vers son ordinateur portable et lança de mémoire une recherche sur Google.

— Oui, voilà, comme je le pensais. Le 42 et le 43 de Mersenne. Deux des plus grands nombres premiers connus à ce jour.

Je griffonnais quelques notes à mesure qu'elle parlait, sans être bien certain de ce que j'écrivais.

— Bon, question suivante, dis-je. Et alors ?

— Et alors quoi ?

— Imaginons que l'hypothèse de Riemann soit prouvée. Que se passerait-il ? Pourquoi s'en soucier autant ?

Sara réfléchit à mes questions avant d'y répondre.

— Il y a deux aspects distincts, me semble-t-il. Le premier, bien sûr, concerne l'application pratique. Le domaine du cryptage, par exemple, en serait révolutionné. La rédaction et le déchiffrement des codes changeraient du tout au tout, donc la personne que vous cherchez a peut-être cela à l'esprit.

— Et le deuxième ?

— Le défi en soi, car c'en est un, répondit-elle avec un haussement d'épaules. C'est l'Everest du monde théorique... La différence étant que le sommet de l'Everest a déjà été atteint alors que personne n'a encore réussi à atteindre celui-ci. Riemann lui-même a souffert d'une dépression nerveuse ! Et ce John Nash, dans *Un homme d'exception* ? C'était franchement une obsession chez lui.

Elle se pencha en avant et brandit la feuille de chiffres et de symboles pour nous permettre de les voir.

— En résumé, s'il vous faut quelque chose qui puisse vraiment rendre cinglé un mathématicien, cette conjecture est un point de départ aussi bon qu'un autre. C'est ça, Alex ? Tu recherches un mathématicien fou ?

59

Le soleil n'était pas encore levé lorsqu'ils quittèrent Washington dans le vieux Suburban blanc, Denny au volant, comme toujours. La veille, il avait servi des salades à son compagnon, sur l'importance pour Mitch de renouer les liens avec sa famille à présent qu'il était devenu « un homme, un vrai », et l'autre avait non seulement tout gobé mais pris la chose à cœur.

En vérité, moins il en savait sur la véritable raison de ce voyage, mieux c'était.

Il fallait environ cinq heures pour rejoindre la ville de Johnsonburg, en Pennsylvanie, ou plutôt Johnsonbeurk comme la rebaptisa mentalement Denny à leur arrivée. Les usines de papier établies là exhalaient des relents âcres, comme celles au milieu desquelles il avait grandi, sur les rives de l'Androscoggin. Un petit rappel inattendu de ses racines de Blanc pauvre dont il s'était coupé définitivement vingt ans plus tôt. Il avait parcouru le monde plus d'une fois depuis, et cette petite ville lui donnait un peu trop l'impression d'un retour aux sources.

— Et si jamais elle refuse de me parler, Denny ? demanda Mitch pour la centième fois de la matinée.

Son genou tressautait de plus en plus à mesure qu'ils approchaient et, à sa façon d'agripper le singe en peluche jaune posé sur ses cuisses, on aurait dit qu'il voulait étrangler la maudite bestiole, laquelle était déjà déchirée à l'emplacement du macaron antivol, qu'il avait arraché dans un magasin Target à Altoona avant de fourrer la peluche sous son blouson.

— Essaie de décompresser, Mitchie. Si elle veut pas de toi ici, tant pis pour elle. Tu es un héros américain, mec. N'oublie jamais ça. Un vrai héros.

Une fois arrivés à destination, dans un lotissement de petits pavillons jumelés en briques, ils se garèrent devant l'un d'eux, d'aspect aussi morne que les autres. Sur le carré de pelouse, de vieux jouets semblaient abandonnés à leur sort, et une Ford Escort bleue mangée de rouille occupait toute la place de l'allée.

— Ça a l'air sympa, commenta Denny avec un froncement de sourcils. Allons voir si quelqu'un est là.

60

Il y avait au moins une personne dans la maison, à en juger par la musique qui filtrait par la porte d'entrée, un truc de Beyoncé ou une merde dans le même genre. Ils durent frapper vigoureusement à plusieurs reprises pour que le volume baisse enfin.

L'instant d'après, la porte doublée d'une moustiquaire s'ouvrit.

Alicia Taylor était beaucoup plus jolie que sur la photographie du rapport de surveillance. Alors que Denny se demandait comment Mitch avait pu lui mettre le grappin dessus, elle découvrit qui se tenait sur son perron et ses traits s'enlaidirent aussitôt d'une expression mauvaise. Elle resta derrière la moustiquaire, la laissant fermée.

— Qu'est-ce que tu fiches ici ? lança-t-elle en guise de salut.

— Bonjour, Alicia !

La voix de Mitch était rauque d'appréhension. D'un geste maladroit qui trahissait son trouble, il brandit la peluche.

— Je, euh… J'ai apporté un cadeau.

À demi dissimulée par Alicia, une fillette haute comme trois pommes les regardait, les yeux écarquillés sous sa frange tressée et ornée de perles. Son visage s'illumina d'un sourire à la vue du jouet, mais cette lueur de joie s'éteignit dès que sa mère reprit la parole.

— Destiny, va dans ta chambre.

— C'est qui, maman ?

— Pas de questions, mon bébé. Fais seulement ce que je dis. Tout de suite ! Allez, file !

Une fois la petite disparue à l'intérieur, Denny décida que c'était le moment d'entrer en scène.

— Ravi de vous rencontrer, déclara-t-il sur un ton amical. Je suis le copain et le chauffeur attitré de Mitch, mais vous pouvez m'appeler Denny.

La femme s'intéressa à lui le temps de lui lancer un regard venimeux.

— Vous, là, je me fous complètement de votre nom, le rembarra-t-elle, avant de s'adresser à Mitch. Et je t'ai demandé ce que tu fichais ici. Je ne veux pas de toi à la maison. Destiny non plus.

— Vas-y, mon pote, dit Denny, avec une tape d'encouragement sur l'épaule de Mitch.

Celui-ci sortit une enveloppe de sa poche.

— C'est pas grand-chose, mais voilà quand même.

Elle contenait un billet de vingt dollars, deux de cinq, et cinquante coupures chiffonnées d'un dollar. Quand il essaya de la passer à travers la moustiquaire déchirée, Alicia la repoussa brutalement de la main.

— Oh que non, alors ! Tu t'imagines que ta petite enveloppe fait de toi un père ? (Elle baissa la voix.) T'es qu'une erreur de jeunesse, Mitch, rien de plus. En ce qui concerne Destiny, elle croit que son papa est mort, et on va s'en tenir à ça. Maintenant, vous allez tous les deux partir de chez moi… Ou faut que j'appelle la police ?

Le visage rond de Mitch s'allongea autant qu'il était possible.

— Prends au moins ça ! insista-t-il.

Il ouvrit la moustiquaire, mais devant le brusque recul d'Alicia, il laissa tomber le singe en peluche aux pieds de la femme. Pour mettre fin à cette scène pitoyable, et comme il avait vu tout ce qu'il voulait voir, Denny intervint :

— Bon, eh bien, on a une longue route pour rentrer à Cleveland, alors on va y aller, direction l'Ohio. Pardon de vous avoir dérangée, m'dame. Cette petite visite n'était peut-être pas une si bonne idée, finalement.

— Vous croyez ? railla-t-elle, avant de leur claquer la porte au nez.

En descendant l'allée, Mitch paraissait sur le point de fondre en larmes.

— Ça craint, vraiment. Elle serait fière si elle savait ce qu'on fait. J'avais tellement envie de lui dire…

— Mais tu as résisté, le coupa Denny. (Il lui mit un bras autour des épaules pour lui parler de plus près.) Tu es resté fidèle à la mission, Mitchie, et c'est ce qui compte. Allez, secoue-toi, on s'arrêtera dans un Taco Bell avant de sortir de la ville.

Pendant qu'il contournait la voiture pour rejoindre le côté conducteur, il glissa une main sous sa veste pour remettre en place le cran de sûreté du Walther neuf millimètres rangé dans son étui. Tout bien considéré, Mitch était plus héroïque qu'il ne le saurait jamais : il venait de sauver la vie de sa fille.

Bien qu'elle se soit montrée carrément garce, Alicia n'était au courant de rien, et Denny n'allait certainement pas descendre une gamine de cinq ans qui ne savait même pas qui était Mitch. L'objectif de ses instructions se résumait à éliminer toute menace, et il n'y en avait aucune ici.

Si cela ne plaisait pas au client de Washington, il n'aurait qu'à se trouver un autre exécuteur.

61

Au bout du compte, la journée s'était révélée assez chouette, relaxante et pleine de surprises, surtout en ce qui concernait la jolie ex-épouse de Mitch. La nuit venait de tomber lorsqu'ils atteignirent Arlington. Mitch avait passé la majeure partie du trajet à contempler le paysage, avec force soupirs et en s'agitant comme s'il ne parvenait pas à s'endormir.

Mais à présent, tandis qu'ils approchaient du Roosevelt Bridge, il se tenait tout droit dans son siège et regardait devant lui à travers le pare-brise.

— Hé, Denny, c'est quoi ça ?

Dans les deux sens de la voie express, les véhicules étaient à l'arrêt. De chaque côté, des voitures de patrouille aux gyrophares allumés, avec des agents de police postés sur la chaussée. Il ne s'agissait pas d'un simple embouteillage et cela ne ressemblait pas non plus à un accident.

— Contrôle routier, annonça Denny, qui venait de comprendre.

La ville de Washington les avait institués depuis plusieurs années, mais uniquement dans les quartiers particulièrement violents. Jusque-là, il n'en avait encore jamais vu d'une telle ampleur.

— Il a dû se passer quelque chose, ajouta-t-il. Quelque chose de grave.

— Je n'aime pas ça, marmonna Mitch, dont le genou se remit à trépider. Ils recherchaient pas un Suburban, après notre coup à Woodley Park ?

— Ouais, mais un bleu foncé ou un noir. En plus, ils arrêtent tout le monde, tu vois bien ? le rassura Denny, l'air aussi insouciant que possible. Dommage qu'on n'ait pas des journaux à vendre, avec un bouchon pareil. On aurait pu récupérer un peu de l'argent qu'on a dépensé aujourd'hui pour l'essence.

Mitch n'était pas convaincu. Il demeura tendu, tassé au creux de son siège pendant qu'ils progressaient à une allure d'escargot vers le bout de la file.

Puis, de façon inattendue, il demanda :

— Au fait, d'où est sorti le fric pour l'essence, Denny ? Et l'enveloppe pour Alicia ? Je ne comprends pas comment on a payé tout ça.

Denny serra les dents. D'habitude, on pouvait compter sur Mitch pour ne jamais poser de questions perspicaces.

— Tu sais ce qu'on dit à propos de la curiosité, hein, Mitchie ? C'est un très vilain défaut… Et elle est toujours punie. Concentre-toi sur les choses importantes et laisse-moi m'occuper du reste. De ça y compris.

Ils arrivaient à la hauteur du contrôle routier, et un agent au gabarit de basketteur leur faisait signe d'approcher.

— Permis de conduire et papiers du véhicule, s'il vous plaît.

Denny prit les documents dans la boîte à gants et les tendit sans ciller. Parfait exemple de l'avantage à travailler pour des clients sérieux. « Denny Humboldt » avait un casier judiciaire aussi nickel qu'un chat présenté à un concours de beauté ; même cette contravention sur le parking de l'université ne figurerait plus nulle part.

— Quel est le problème, monsieur l'agent ? Ça a l'air d'un truc important, non ?

Le flic lui répondit par une question tout en fouillant du regard le bric-à-brac sur la banquette arrière.

— D'où venez-vous, tous les deux ?

— Johnsonburg, Pennsylvanie. Pas un coin où on a envie de traîner, d'ailleurs. C'est vraiment un trou.

— Combien de temps vous êtes-vous absentés ?

— Seulement depuis ce matin. On a fait l'aller-retour dans la journée. Alors, je suppose que vous n'avez rien le droit de nous dire, hein ?

— C'est exact, confirma l'agent. (Il lui rendit ses papiers et d'un geste leur intima de repartir.) Avancez, s'il vous plaît.

Tandis qu'ils s'éloignaient, Mitch détacha ses mains de son genou avec un profond soupir de soulagement.

— Ouf, on est passés vachement près ! Ce sale con savait quelque chose.

— Pas du tout, Mitchie. Absolument pas. Il est comme tous les autres : personne n'a la moindre idée, que dalle.

Il ne leur fallut pas longtemps pour trouver des informations à la radio. On disait déjà un peu partout que le sniper de DC, le Patriote, avait de nouveau frappé. Un policier, dont le nom était tenu secret, avait été abattu à distance, juste là, sur les bords du Potomac, côté Washington.

Alors qu'ils franchissaient le pont pour entrer en ville, ils découvrirent sans surprise un déploiement des forces de l'ordre stationné sur la rive d'en face, le long de Rock Creek Parkway, à leur gauche. Denny hurla de rire.

— Vise un peu le congrès de poulets ! Noël est carrément en avance, cette année.

— Qu'est-ce que tu racontes, Denny ?

Mitch semblait absent, encore perturbé par l'arrêt au contrôle routier.

— Le flic mort, mec. Tu n'as pas écouté les infos ? Tout se déroule exactement comme on l'espérait. On vient de récolter un putain d'imitateur !

62

Nelson Tambour avait été abattu à l'approche du crépuscule, sur la berge herbeuse et déserte située entre le fleuve et Rock Creek Parkway. Au moment où j'arrivai, la voie express était déjà interdite à la circulation depuis K Street jusqu'au Kennedy Center. Je me garai le plus près possible et terminai à pied.

Tambour était l'un des inspecteurs de la NSID, la division des narcotiques et des enquêtes spéciales. Je ne le connaissais pas personnellement, mais cela ne diminuait en rien pour moi l'aspect tragique de cet incident. Un vrai cauchemar. La police de Washington avait perdu l'un des siens, et de façon horrible. Tambour avait été découvert le crâne éclaté, fendu en deux : il avait reçu une balle de gros calibre en pleine tête.

À présent qu'il faisait nuit, plusieurs lampes à arc éclairaient la scène comme dans un stade de football. Deux tentes étaient dressées sur le côté, l'une abritant le poste de commandement, l'autre destinée à conserver les indices hors de vue de ces empoisonneurs de médias, dont les hélicoptères tournaient en rond au-dessus de nos têtes.

Sur l'eau se déployait la brigade fluviale, occupée à garder les bateaux de plaisance à bonne distance de la rive. Et les gradés de la police étaient partout.

Dès que j'aperçus le chef, Perkins, il me fit signe d'approcher. Dans un petit groupe à l'écart, il conférait avec les chefs adjoints de la NSID et du service d'investigation dont elle dépendait, ainsi qu'avec une femme qui m'était inconnue.

— Alex, je vous présente Penny Ziegler, de l'IAD, dit Perkins.

Le nœud que j'avais dans le ventre se resserra un peu plus. Que faisaient ici les affaires internes ?

— Il y a quelque chose que je devrais savoir ? m'enquis-je.

— En effet, répondit Ziegler.

La tension creusait autant son visage que le nôtre. Les meurtres de flics ont tendance à mettre tout le monde sur les nerfs.

— L'inspecteur Tambour avait été coupé de tout contact depuis un mois. Nous nous apprêtions à monter un dossier d'accusation cette semaine.

— Pour quel motif ?

Elle se tourna vers Perkins, qui, d'un signe de tête, l'autorisa à poursuivre.

— Ces deux dernières années, Tambour supervisait une opération sous couverture dans trois grandes cités de logements sociaux du quartier d'Anacostia. Il récupérait la moitié de ce que son équipe saisissait, principalement du PCP, de la cocaïne et de l'ecstasy, et revendait la drogue via un réseau de dealers dans le Maryland et en Virginie.

— Il effectuait peut-être une livraison ici même, ce soir, ajouta Perkins avec une moue. On a trouvé un kilo de coke dans son coffre.

Cinq mots me traversèrent l'esprit : *des renards dans le poulailler*.

Tout à coup, Tambour correspondait beaucoup plus au profil des victimes du sniper.

Avec un bémol pourtant, puisque c'était un inconnu pour le grand public. Il n'avait pas fait les gros titres comme les autres, du moins pas encore, et cela constituait une différence.

Était-elle importante ? Je ne parvenais ni à en décider ni à écarter par ailleurs le sentiment que quelque chose ne collait pas vraiment, ici.

— Je veux imposer un silence radio sur tout ce qui a trait à l'enquête, déclarai-je à Perkins. La personne qui a fait ce coup a manifestement une source d'information qui vient de l'intérieur.

— C'est d'accord. Attendez, Alex.

Il posa une main sur mon bras alors que j'allais partir. Dans ses yeux se lisait une grande fatigue nerveuse, voire de la détresse.

— Donnez votre maximum dans cette affaire, m'enjoignit-il. Ou elle risque de nous échapper complètement.

C'était déjà le cas, si notre équipe de snipers n'était pas en cause.

63

Les agents du FBI commencèrent à arriver immédiatement après moi. De mon point de vue, leur présence représentait une épée à double tranchant ; leurs équipes de collecte d'indices sont certes pourvues des meilleurs gadgets dans ce domaine, mais j'imaginais logiquement que si les fédéraux étaient là, Max Siegel ne tarderait pas à se montrer.

De fait, nos têtes (et nos egos) se heurtèrent au-dessus du corps de Nelson Tambour.

— La balle a fait de sacrés dégâts à la sortie ! constata Siegel, s'imposant avec son sans-gêne habituel. J'ai entendu dire que le type était pourri. C'est vrai ? De toute façon, je finirai par le savoir.

J'ignorai la question et répondis à celle qu'il aurait dû poser :

— C'était forcément une arme à longue portée. Il n'y a aucune trace de poudre. Et, d'après la position du corps, les tirs provenaient sans doute de là-bas.

Directement en face de nous, à deux cent cinquante mètres environ de la rive, l'on distinguait les faisceaux des lampes électriques quadrillant les sous-bois de Roosevelt Island. Nous avions envoyé deux équipes ratisser l'île, à la recherche de douilles, d'empreintes suspectes, de n'importe quoi d'utile.

— Vous avez dit « des » tirs ? s'étonna Siegel.

— En effet.

Je lui indiquai du doigt la pente derrière l'endroit où était tombé Nelson Tambour. Quatre fanions jaunes étaient enfoncés dans le sol, un pour chacune des balles retrouvées pour le moment.

— Trois coups manqués pour un réussi, conclus-je avec un soupir. Je ne suis pas sûr qu'il s'agisse des mêmes tireurs.

Le regard de Siegel passa plusieurs fois du fleuve au corps de la victime.

— Ils se tenaient peut-être sur une embarcation. Il y a un sérieux clapot là-bas, aujourd'hui, ce qui expliquerait les tirs multiples, les ratés.

— Il n'y a pas moyen d'être à couvert sur l'eau, et le risque d'être vu est trop grand, objectai-je. Par ailleurs, avec nos types, cela a toujours été une balle, un mort. Ils ne ratent jamais leur coup.

— La devise des tireurs d'élite, commenta Siegel. Et alors ?

— Je pense qu'ils y mettent un point d'honneur. Une chose est sûre, leur travail a été impeccable. Au moins jusqu'à maintenant.

— Il est donc probable que nous ayons affaire à un autre dingue équipé d'un fusil de sniper de gros calibre, qui se balade en toute liberté ?

J'entendais le dédain percer dans sa voix. *Et c'est reparti pour un tour.*

— N'est-ce pas précisément à ce genre d'éventualité que se prépare le FBI ? Patel m'en a touché un mot… au cours de la réunion où vous nous avez posé un lapin.

Siegel se mit à se balancer sur ses talons.

— Je vois. Alors, vous échafaudez vos propres théories, ces temps-ci ? Ou vous suivez seulement celles que vous grappillez chez nous ?

Pour une raison inconnue, il se sentait menacé par moi et cherchait à se rassurer en me poussant à un comportement non professionnel. J'avais déjà fait un pas dans cette direction, mais je fis marche arrière et reportai plutôt mon attention sur le sol autour du corps de Tambour.

Quand il devint évident que je n'allais pas réagir à sa provocation, il tenta une approche différente.

— Vous savez, il est possible que ces types se révèlent très forts, reprit-il avec nonchalance. N'est-ce pas la leçon de base du terrorisme ? Le meilleur moyen de garder une longueur d'avance sur la police, c'est de rester imprévisible en toutes choses. Ça ne vous paraît pas valable comme éclairage sur cette affaire ?

— Je n'écarte aucune hypothèse, concédai-je sans me retourner.

— Très bien. Vous avez raison de tirer la leçon de vos erreurs. Je veux dire, n'est-ce pas justement ce qui vous désarçonnait chez Kyle Craig ?

Je le regardai enfin.

— Au fond, il avait toujours un coup d'avance sur vous, hein ? Il ne cessait de changer les règles du jeu. D'ailleurs, il continue de le faire, n'est-ce pas ? Encore aujourd'hui. À moins que je ne me trompe aussi sur ce sujet ? conclut-il avec un haussement d'épaules.

— Vous savez quoi, Max ? Contentez-vous… de vous taire !

Je me levai pour me planter face à lui, à quelques centimètres. Je ne m'efforçais plus de « gérer » Siegel ; il fallait seulement que je lui dise ce que j'avais sur le cœur.

— Quels que soient les problèmes personnels que vous avez à régler, je peux vous recommander des professionnels compétents. Mais dans l'intervalle, au cas où vous ne l'auriez pas remarqué, nous avons perdu un homme aujourd'hui. Montrez donc un peu de respect.

J'imagine que ma réaction lui avait enfin donné satisfaction. Il recula d'un pas, tout en conservant ce détestable sourire plaqué sur son visage. À croire qu'il savourait en permanence une plaisanterie connue de lui seul.

— C'est juste, convint-il, avec un geste par-dessus son épaule. Je ne serai pas loin si vous avez besoin de moi.

— Je me passerai de votre aide, rétorquai-je.

Et je me remis immédiatement au travail.

64

Avant 21 heures, j'avais déjà eu une réunion téléphonique d'urgence avec le service de renseignement du FBI et le FIG, fait un rapport au bureau du maire, et briefé ma propre équipe du MPD, laquelle était maintenant au grand complet sur les lieux.

À ce stade, la question principale était de savoir si nous avions affaire aux snipers patriotes ou à un autre individu. Comme une étude balistique constituait le moyen le plus rapide de prouver un lien avec eux, s'il en existait un, Cailin Jerger, du laboratoire du FBI à Quantico, nous fut amenée par hélicoptère pour une expertise.

La descente et l'atterrissage du Bell noir sur la voie express déserte offrirent une vision impressionnante.

Je courus vers l'appareil pour accueillir Jerger et l'accompagner sur la scène de crime.

Elle portait un jean et un sweat-shirt à capuche avec le sigle de Quantico ; on l'avait probablement tirée tout droit de son salon. À voir ce petit bout de femme sans prétentions, il était impossible de deviner qu'elle était la spécialiste incontestée des armes à feu dans un périmètre de trois États.

Quand je lui montrai l'emplacement où Tambour était tombé et ceux des quatre balles retrouvées, elle me regarda d'un air entendu. Je demeurai silencieux, parfaitement impassible. Je tenais à la laisser libre de parvenir à ses propres conclusions.

Le monde entier semblait s'être rassemblé au niveau de la tente des indices pour nous attendre. À l'extérieur se massaient des agents fédéraux et des policiers, dont la plupart des collègues de Tambour au sein de son unité. À l'intérieur, le MPD était représenté par Perkins et divers chefs adjoints, le FBI par Jim Heekin du service de renseignement, Max Siegel et des sous-directeurs, et l'ATF avait aussi envoyé quelques délégués. En entrant, Jerger détailla du regard cette foule de visages impatients, puis avança droit devant elle comme si nous étions seuls, elle et moi.

Sur une longue table pliante étaient disposées les balles, chacune dans une pochette transparente. Trois d'entre elles étaient en assez bon état, contrairement à la quatrième, très détériorée pour des raisons évidentes.

— Bien, ces projectiles ont été sans conteste tirés par un fusil, déclara immédiatement Jerger. Mais il ne s'agit pas d'un M110, comme pour les incidents précédents.

À l'aide de pinces qu'elle prit sur la table, elle sortit de sa pochette l'une des balles les moins abîmées et en examina la base à travers une loupe qu'elle avait apportée.

— Oui, c'est ce que je pensais, calibre .388, continua-t-elle. Et vous voyez ce *L* estampillé ici ? Il s'agit d'une Lapua Magnum d'origine. Cette munition a été conçue spécifiquement pour des tirs longue distance.

— Pouvez-vous déduire de ces balles quel type précis d'arme a été utilisé ? lui demandai-je.

Elle haussa une épaule.

— Cela dépend. À mon retour au labo, je chercherai des marques de rayures caractéristiques, mais je tiens à vous prévenir que ces bestioles ont des chemises plutôt épaisses. Les stries vont être réduites au minimum.

— Quelles sont vos premières impressions ? insistai-je. Nous sommes vraiment dans le pétrin, là.

Jerger prit une profonde inspiration. Je pense qu'elle n'aimait pas avancer des hypothèses, son métier relevant de l'extrême précision.

— Eh bien, à part un défaut de matériel, je ne vois pas ce qui pourrait inciter quelqu'un à délaisser un M110 pour autre chose.

Elle souleva une nouvelle pochette à indices pour l'étudier.

— Attention, comprenez-moi bien. Cette munition est excellente mais, en termes de longue portée, le 110 est une Rolls-Royce, alors que tout le reste est juste… le reste.

— Vous pensez donc qu'il s'agit d'un autre tueur ? intervint Perkins, influençant Jerger sans doute davantage qu'il n'aurait fallu.

— Je me borne à dire qu'il me semblerait bizarre que ce ne soit pas le cas. Mais je ne connais pas les motivations du tireur, évidemment. Quant à l'arme même, certaines possibilités sont à considérer plus que d'autres.

— Comme lesquelles ? la poussai-je.

— M24, Remington 700, TRG-42, PGM 338, énuméra-t-elle sans hésitation. Ce sont les plus courantes, du moins dans l'armée.

Elle s'interrompit pour me dévisager, avec un sourire dépourvu d'humour.

— Et il y a aussi le Bor. En avez-vous déjà entendu parler ?

— J'aurais dû ?

— Pas forcément, répondit-elle, son regard toujours planté dans le mien. Ce serait juste une coïncidence étrange. La version calibre .338 de ce fusil est surnommée « Alex ».

65

Un sourire béat illumina le visage de Kyle Craig, ou plutôt de Max Siegel, d'un bout à l'autre du trajet jusqu'à son domicile dans la 2e. Il ne pouvait s'en empêcher. De toute sa carrière aux multiples facettes et personnages incarnés, jamais il n'avait vécu meilleur moment que ce soir.

Gloire soit rendue à l'agent Jerger pour avoir fait le lien avec le fusil Alex, et si rapidement !

Le FBI avait peut-être encore quelques fines lames dans ses tiroirs, après tout. Ces indices subtils que Kyle laissait çà et là étaient en quelque sorte devenus sa marque de fabrique, mais assister à la découverte de l'un d'eux... quelle sensation unique, pour ne pas dire plus ! Une jouissance totale.

Toutefois, ce n'était qu'un prélude. Ce petit drame près du fleuve ne constituait que le premier crochet du K.O. final qu'aucun d'entre eux ne verrait venir, et personne ne le sentirait mieux qu'Alex lorsque le prochain coup tomberait.

Prépare-toi, mon ami. C'est pour bientôt !

Kyle consulta sa montre en refermant la porte d'entrée derrière lui. Il n'était que minuit et demi, et le jour ne se lèverait pas avant des heures. Il avait largement le temps.

66

Il fallait procéder dans l'ordre. Il déverrouilla la porte du sous-sol et descendit l'escalier étroit menant au local aux murs de parpaings qui lui servait d'atelier. On était loin de l'ancien cabinet de travail de son père, avec ses lambris en noyer, sa cheminée de trois mètres cinquante et ses échelles de bibliothèque roulantes, mais l'endroit faisait l'affaire et remplissait aussi bien son office. Une large porte donnant à l'extérieur lui avait permis d'apporter l'autre jour un congélateur horizontal, dont il s'approcha.

L'agent Patel y reposait paisiblement. Dans l'ensemble, elle conservait la même allure, en dépit d'une certaine raideur somme toute appropriée ; cette fille avait été assez rigide quand elle était en vie.

— Prête à changer de décor, ma chère ?

Il la hissa hors du congélateur et l'étendit sur une plaque de plastique de quatre millimètres d'épaisseur, afin que le corps se ramollisse pendant qu'il vaquerait à ses autres tâches. Cela lui rappela sa mère, peu chérie mais ô combien défunte, Myriam, et son habitude de sortir le matin un plateau de côtelettes de porc ou un flanchet de bœuf pour laisser la viande décongeler sur le plan de travail de la cuisine, de sorte qu'elle soit prête le soir à être cuisinée pour le dîner. Il ne pouvait pas dire que la brave femme ne lui avait rien appris d'utile.

Puis il s'attaqua aux murs. Des dizaines de nouvelles photographies y étaient scotchées aux côtés des anciennes, la récente moisson de plusieurs jours de surveillance ennuyeuse des allées et venues de Cross. Si cette étape ne s'était pas révélée la plus exaltante, elle avait néanmoins porté ses fruits.

Un cliché montrait Alex Cross et John Sampson à Franklin Square, s'affairant sur la scène de crime de cette nouvelle affaire merveilleusement tordue.

Sur un autre, on voyait Alex et Ali, son benjamin, avec la mère, Christine, qui, de son côté, semblait avoir apporté une bonne dose d'orage et de perturbation au foyer.

Un à un, les murs furent mis à nu, dépouillés de ce qu'il avait accumulé depuis son arrivée à Washington – chaque photo, plan de ville et coupure de presse. Rien ne lui servirait plus, il avait tout en mémoire. D'ailleurs, le moment était venu de libérer son esprit des détails et de prendre enfin son envol...

Kyle savait bien que, dans le passé, son souhait (non, son besoin !) aurait été de peaufiner sa stratégie avec une précision minutieuse. Mais ce n'était plus le cas. Aujourd'hui, il préférait garder ses options en suspens, comme autant de fruits qui n'attendaient que d'être cueillis.

Il imagina un épilogue possible. Alex se réveille dans la salle de bains, par terre, le couteau encore à la main. Il se lève, désorienté, titube jusqu'à sa chambre où il trouve Bree éventrée sur le lit. Quand il court voir comment vont les enfants, il découvre des scènes identiques. Pareil pour la grand-mère. Il ne se souvient de rien, pas même d'être rentré chez lui ce soir-là. Un bond dans le temps, une ou deux années plus tard, et le voilà en train de vivre cet incomparable enfer qu'est une prison de haute sécurité ; il croupit dans son innocence tandis que les murs autour de lui se resserrent un peu plus chaque jour.

Ou bien… non.

Kyle pouvait aussi le faire disparaître définitivement, une fois pour toutes. La bonne vieille séance de torture avant le meurtre, puis regarder Cross mourir, présentait également un attrait considérable.

En attendant, il n'y avait pas d'urgence particulière à choisir le dénouement. Sa tâche pour l'instant se limitait à personnifier Max Siegel, à rester ouvert à toute opportunité, et à s'occuper de ce qui se trouvait devant lui.

En l'occurrence, à cette minute précise, l'agent Patel.

Lorsqu'il retourna près d'elle pour constater son état, son corps commençait tout juste à s'assouplir. Absolument parfait. Il s'en serait débarrassé avant qu'elle se mette à dégager une quelconque odeur.

— Les meilleures choses ont une fin, camarade ! lança-t-il.

Il se pencha pour déposer un chaste baiser d'adieu sur les lèvres de son invitée en instance de départ, et la roula dans une housse mortuaire blanche dont il remonta la fermeture éclair. Elle était prête pour le transport.

67

Le lendemain matin à l'aube, nouvel appel de Sampson. Cette fois, je n'étais pas encore sorti du lit.

— Écoute, ma poule, je sais que ç'a été une dure soirée hier, près du fleuve, mais j'ai pensé que tu voudrais être au courant. On a un autre corps dans l'affaire des nombres.

— Génial, le timing, marmonnai-je, allongé sur le dos avec le bras de Bree en travers de ma poitrine.

— J'imagine que personne ne lit mes notes de service à ce sujet. Bon, je peux m'en charger seul si tu as besoin de te reposer.

— Où es-tu ?

— À la gare routière, derrière Union Station. Mais sérieusement, Alex, tu as la voix d'un type avec une gueule de bois carabinée. Alors, tu ne bouges pas et tu oublies que je t'ai appelé, d'accord ?

— Non.

Tout mon être voulait rester collé à ce matelas, mais l'occasion de découvrir la scène de crime dans son état d'origine ne se présente qu'une fois.

— Je serai là-bas aussi vite que possible, soupirai-je.

Bree me saisit par le bras comme je me redressais et posais les pieds par terre.

— Eh, Alex, il est vraiment très tôt. Que se passe-t-il ?

— Excuse-moi de t'avoir réveillée, répondis-je en me penchant en arrière pour l'embrasser. Au fait, j'ai hâte de t'épouser, tu sais.

— Ah oui ? Et cela va changer quoi, au juste ?

— Rien. J'en ai simplement très envie.

Elle sourit et, même dans la pénombre, c'était une vision magnifique. Je n'ai jamais connu de femme aussi belle au réveil. Ou sexy. Il me fallait me relever très vite, sinon j'entamerais quelque chose qui devrait en rester au stade des préliminaires.

— Veux-tu que je vienne avec toi ? proposa-t-elle, un peu endormie mais déjà redressée sur un coude.

— Non, merci. Je vais me débrouiller. Par contre, si tu pouvais emmener les enfants à l'école...

— Ça marche. Rien d'autre ?

— Une ou deux choses que la morale réprouve, en vitesse avant que je ne parte ?

— Ce sera pour une prochaine fois, plaisanta-t-elle. Sampson t'attend. File maintenant... ou nous risquons de faire quelque chose que nous ne regretterons pas !

J'étais dehors dix minutes plus tard et je dus rassurer d'un geste les hommes de la sécurité postés dans le jardin, quand ils me virent actionner la porte du garage. Quelques heures à peine s'étaient écoulées depuis que je les avais croisés en me traînant dans l'autre sens pour rentrer.

— Salut les gars ! Regina vient de se lever. Il y aura bientôt du café pour vous.

— Et des brioches ? demanda l'un d'eux.

— Comptez dessus ! lançai-je en riant.

Il n'empêche que la situation commençait à m'échapper. Comme n'importe quel collègue, j'avais l'habitude des horaires de fous, mais quitter la maison avant même que Nana Mama ait eu le temps d'allumer ses fourneaux... Il était tôt, indéniablement !

68

Tous les autobus du matin étaient garés en file dans la rue longeant Union Station quand j'arrivai sur place.

Sampson avait déjà fermé au public le terminal routier à l'arrière de la gare ferroviaire, et les lieux grouillaient d'agents de la circulation en gilet orange, occupés à rediriger les voyageurs. Un casse-tête colossal de plus, mais qui au moins n'était pas de mon ressort.

Je laissai ma voiture derrière le bâtiment et empruntai à pied la rampe du parking couvert, jusqu'à la vaste plateforme principale. Sampson m'y attendait, un grand gobelet de café dans chaque main.

— Ce meurtre-là ne me plaît pas, ma poule. Mais alors pas du tout, m'annonça-t-il en me tendant mon carburant matinal.

Nous nous dirigeâmes vers le fond, où une rangée de bennes à ordures s'alignait contre le mur, côté H Street. Seule l'une d'elles avait le couvercle relevé.

— On a une femme nue, cette fois, reprit Sampson. Et les chiffres se trouvent tous dans son dos. En plus, on dirait qu'elle a été poignardée et non battue à mort. L'un dans l'autre, le résultat est vraiment vilain.

— Bon, au travail. Voyons ce que nous avons.

J'enfilai mes gants avant de m'avancer pour examiner la scène.

La femme avait été placée à plat ventre sur les détritus, principalement des sacs-poubelle provenant du terminal. Les chiffres étaient gravés sur la peau en deux rangées parallèles séparées par la colonne vertébrale. Cependant, il ne s'agissait pas d'équations. C'était totalement différent.

N38°55′46.1598″

W94°40′3.5256″

— Ce ne serait pas des coordonnées GPS ? fis-je remarquer.

— Si c'en est, je suis curieux de voir quel endroit elles indiquent, répondit Sampson. Ce type est en train d'évoluer, Alex.

— Quelqu'un a bougé le corps ?

— Le légiste n'est pas encore arrivé. Je ne sais pas ce qui le retient, mais je ne crois pas qu'on devrait attendre davantage.

— Je suis d'accord. Quelle façon de commencer la journée… Allez, donne-moi un coup de main.

Nous prîmes une profonde inspiration avant d'escalader la benne. Il était difficile de manœuvrer en raison des sacs qui se dérobaient sous nos pieds, sans parler de la nécessité de maintenir la scène de crime en l'état. Aussi rapidement que possible, nous saisîmes la victime pour la retourner avec délicatesse.

Ce que je découvris me fit tomber à la renverse. Je me penchai par-dessus le bord de la benne et, pour la première fois depuis très longtemps, faillis rejeter le contenu de mon estomac.

Sampson se précipita vers moi.

— Alex, ça va ? Qu'est-ce qui t'arrive ?

Un goût de métal me remplissait la bouche; la montée d'adrénaline, le choc de cette effroyable surprise me donnaient le vertige.

— C'est un agent du FBI, John. Tu ne te souviens pas d'elle ? L'affaire du Showman ? C'est Anjali Patel.

69

Pauvre Anjali.

Bordel de merde ! Mais comment est-ce arrivé ? Comment est-ce possible, bon sang ?

Le fait de connaître la victime d'un homicide, surtout aussi brutal que celui-ci, suscite une réaction inévitable. Des questions importunes ne cessaient de remonter à la surface : avait-elle pressenti ce qui allait se passer ? Avait-elle beaucoup souffert ? La fin étaitelle venue vite ?

Même si je me répétais que des incisions au couteau aussi nettes avaient forcément été effectuées post mortem, cette pensée ne m'offrait qu'une piètre consolation dans mon état actuel. Par ailleurs, en hommage à Patel, je devais recentrer mon attention sur mon travail et sur cette scène de crime, en gardant toute l'objectivité dont j'étais capable dans ces circonstances traumatisantes.

J'appelai sur-le-champ le bureau du médecin légiste. Il me fallait m'assurer que l'on avait attribué ce cas à Porter Henning, et aussi découvrir ce qui pouvait les retenir, son équipe et lui. Ils auraient déjà dû être ici. J'y étais bien, moi !

Sampson releva les séries de chiffres gravées sur le dos d'Anjali, et les rentra dans son BlackBerry avec l'espoir de dénicher un début de piste à leur sujet sur Internet.

Après que j'eus parlé à Porter, bloqué dans un bouchon sur l'Eisenhower Freeway, John me fit signe de venir voir quelque chose.

— Je ne suis pas sûr, Alex. Ça ne correspond à rien de logique.

Il tourna l'écran du smartphone vers moi, afin de me montrer la carte qui y était affichée.

— C'est une adresse à Overland Park, dans le Kansas. Ce truc devient de plus en plus bizarre. Peut-être que c'est un genre de formule mathématique, après tout.

— Tu as essayé la recherche inversée à partir de l'adresse ? suggérai-je.

— J'ai commencé.

Il procédait avec lenteur, gêné par ses grosses pattes et ce clavier minuscule. C'est la raison pour laquelle Sampson n'envoie de SMS à personne.

— Voilà, je l'ai ! C'est un restaurant. Le KC Masterpiece Barbecue and Grill ?

Sampson secouait la tête pour marquer son scepticisme, mais le nom me frappa comme un seau d'eau glacée. Le choc devait se lire sur mon visage, car Sampson agita les doigts devant mes yeux.

— Alex ? T'es parti où, là ?

Mes mains s'étaient refermées en deux poings serrés. J'avais besoin de taper sur quelque chose. Méchamment.

— Bien sûr, murmurai-je. C'est exactement le style de ce salaud.

— Le style de qui, enfin ? demanda John. De quoi es-tu…

Il venait de comprendre.

— Oh, nom de Dieu !

Tout s'éclairait à présent, de la pire manière possible. Il y avait la référence au fusil Alex, la nuit précédente… et maintenant, ceci : *KC Masterpiece*.

Le chef-d'œuvre de Kyle Craig.

Il avait déjà agi ainsi dans le passé, semer sur les scènes de crime des signes symboliques, toujours destinés à ce qu'on lui reconnaisse sans faillir la paternité des forfaits. Les deux derniers meurtres présentaient chacun un lien avec mes affaires en cours : le tir façon sniper qui avait abattu Tambour, et les chiffres si cruellement gravés sur la peau d'Anjali Patel.

À l'évidence, Kyle les avait tués tous les deux. Ou quelqu'un s'en était chargé pour lui.

Puis, comme une horrible réplique d'un séisme, un autre détail surgit de ma mémoire. Bronson James, dit « Pop-Pop », mon jeune patient, blessé par balle au cours de sa tentative de braquage d'un magasin… qui s'appelait Cross Country Liquors ! Bien sûr ! Pourquoi n'avais-je pas réfléchi à cette coïncidence jusqu'à aujourd'hui ?

Tous les éléments se recoupaient : un nouveau fardeau de taille me tombait sur les épaules. Kyle rôdait autour de moi, se rapprochant de plus en plus, et il en profitait pour causer au passage un maximum de ravages. Il ne s'agissait d'ailleurs pas de férocité aveugle ; on devinait une motivation précise et, si je ne me trompais pas, bien plus personnelle.

Chacun de ses actes faisait partie du châtiment qu'il m'infligeait pour l'avoir arrêté une première fois.

70

Il me suffit d'un coup de fil à Rakeem Powell pour faire renforcer la protection de la maison, vingt-quatre heures sur vingt-quatre. S'il le fallait, je souscrirais un emprunt ; la dépense n'était pas ma préoccupation pour le moment. Je ne pouvais anticiper la façon dont Kyle comptait me mettre échec et mat, mais je n'allais pas attendre passivement sa prochaine attaque.

Je passai la majeure partie de la journée au Hoover Building. La mort soudaine d'Anjali Patel avait plongé le siège du FBI dans une atmosphère de veillée mortuaire, à l'exception du centre des opérations et des informations stratégiques, qui bourdonnait d'activité, telle une tour de contrôle aérien.

Le directeur général lui-même, Ron Burns, mit à notre disposition sa propre salle de réunion ; la chasse à l'homme contre Kyle Craig était relancée à plein régime. Je n'étais pas le seul à être concerné sur un plan personnel. Craig incarnait déjà le plus gros scandale interne du FBI en cent ans d'existence, et maintenant il avait tué un autre de leurs agents, peut-être pour se venger également des fédéraux.

Chaque siège de la salle aux tables disposées en double fer à cheval était occupé. Au bout de la pièce, cinq larges écrans projetaient des photographies et d'anciennes vidéos de Kyle, en plus de cartes des États-Unis et du monde sur lesquelles des marqueurs électroniques indiquaient ses déplacements dans le passé, ainsi que la localisation de ses victimes et fréquentations connues.

Nous fûmes en ligne la journée entière avec Denver, New York, Chicago, Paris, bref partout où Kyle avait séjourné depuis son évasion d'ADX Florence. En outre, toutes les antennes régionales du pays étaient placées en état d'alerte maximale.

Malgré ce branle-bas de combat, il nous fallut pourtant admettre que personne n'avait la moindre idée de l'endroit où se trouvait Kyle.

Burns arpentait la pièce, nous venions de raccrocher le téléphone après une téléconférence marathon.

— Je ne sais pas quoi vous dire, Alex, déclara-t-il. Nous n'avons rien d'utile ici, aucune preuve matérielle que Kyle ait tué Tambour ou Patel, ni même qu'il ait mis les pieds à Washington. Et, à ce propos, rien non plus sur le Beretta que vous avez sorti des pièces à conviction.

Il faisait allusion au pistolet dont Bronson James s'était servi pour l'attaque du magasin. Ma première idée avait été que Pop-Pop l'avait obtenu dans la rue, d'un membre de gang, mais Kyle Craig aurait pu aussi facilement le lui mettre dans la main. Kyle avait une prédilection pour les Beretta et il savait que je le savais.

— C'est moi, la preuve ! objectai-je. Il m'a téléphoné. Il a proféré des menaces. Je l'obsède, Ron. Dans sa tête, je suis le seul à avoir réussi à le battre, et Kyle Craig possède un esprit de compétition plus que développé.

— Et du côté de ses disciples ? Histoire de tout envisager.

Burns s'adressait autant à moi qu'à la dizaine d'agents qui prenaient en note ses propos et pianotaient furieusement sur leur ordinateur portable.

— Cet homme a des adeptes, dont certains sont apparemment prêts à mourir sur ses ordres, poursuivit-il. C'est déjà arrivé. Pourquoi n'aurait-il pas commandité ces meurtres ?

— Parce qu'ils me visaient directement, articulai-je. C'est la partie dont Kyle voudrait se charger en personne.

— Et quand bien même. (Cessant son va-et-vient, Burns finit par s'asseoir.) Nous nous écartons du point principal. Que Craig ait commis ou non ces assassinats ne change rien à notre travail. Nous allons continuer à éplucher les scènes de crime. Nous allons rester en alerte et nous assurer que nos équipes sont aussi préparées que possible à sa prochaine attaque.

— Ça ne suffira pas. Bordel !

J'appuyai mes paroles en balayant de la main mes notes posées sur la table, et quelques-uns des papiers de mes voisins voltigèrent à leur suite. Je regrettai immédiatement mon geste.

— Excusez-moi. Pardon.

Tandis que je ramassais les feuilles éparses, Burns se pencha vers moi, la main tendue pour m'aider à me relever.

— Soufflez un peu. Allez donc dîner. Il n'y a rien d'autre à faire pour l'instant.

Que cela me plaise ou non, il avait raison. J'étais épuisé, ainsi qu'un peu gêné par mon éclat; j'avais grand besoin de rentrer chez moi un moment. Après avoir rassemblé mes affaires, je quittai la salle.

Alors que j'attendais l'ascenseur, je sentis mon portable vibrer pour la énième fois ce jour-là. J'avais été submergé d'appels : le bureau, Sampson, Bree, Nana...

Mais ce coup-ci, quand je regardai l'écran, je fus surpris par ce qu'il affichait : *C. Moi*

Je décrochai tout en faisant demi-tour pour regagner le centre des opérations.

— Alex Cross.

— Bonsoir, Alex, répondit Kyle Craig. Nous voici maintenant au cœur de l'action, n'est-ce pas?

71

Kyle continua :

— J'appelle d'un téléphone crypté, alors inutile de tenter quoi que ce soit. Bien, si mon minutage est juste, tu te trouves actuellement dans le ventre de la bête. C'est exact? Et ne me mets pas sur haut-parleur... sinon je raccroche.

Je pénétrai dans la salle de réunion, gesticulant comme un fou pour signaler qu'il se passait quelque chose d'important. Des agents sautèrent sur leurs pieds, bien qu'impuissants dans l'immédiat. J'étais convaincu en effet que Kyle disait vrai à propos de l'appareil crypté.

On me tendit un bloc et un stylo. Burns s'assit près de moi, l'oreille collée à mon téléphone, jusqu'à ce qu'un assistant accoure avec un ordinateur portable et prenne la place du directeur pour transcrire tout ce qu'il pouvait entendre.

— Tu as tué Anjali Patel et Nelson Tambour, c'est ça, Kyle ?

— J'en ai bien peur.

— Et pour Bronson James ? C'est aussi ton œuvre ?

— Quel petit garçon remarquable, non ? Il n'était plus qu'un légume la dernière fois que j'ai eu de ses nouvelles.

Durant la précédente chasse à l'homme contre Kyle, j'avais commis l'erreur de perdre mon sang-froid. J'étais résolu à ce que cela ne se reproduise pas, mais une haine telle que je n'en avais jamais éprouvée pour quiconque faisait battre mon cœur à grands coups.

— Vois-tu l'étendue des ravages dont toi, Alex, tu es la cause ? enchaîna-t-il. Et à quel point ces gens s'en seraient mieux sortis simplement si tu n'existais pas ?

— Tout ce que je vois, c'est un homme en proie à l'obsession de me détruire.

— Faux, répliqua-t-il. Je te trouve fascinant, surtout pour un nègre. Si tu ne l'étais pas, tu serais déjà mort, et Tambour, Patel, ainsi que le petit Bronson James ne se soucieraient demain que du menu de leur petit déjeuner. Prends cela comme un compliment. Peu de gens sont dignes de mon temps et de mon attention.

Sa voix était presque… enjouée. Il semblait d'excellente humeur. Tuer avait manifestement cet effet sur lui. Et il adorait aussi parler de sa petite personne.

— Puis-je te poser une question ?

— Voilà qui est intéressant ! En général, tu ne demandes pas la permission. Je t'en prie, Alex, n'hésite pas.

— La façon dont tu as assassiné Tambour et Patel éveille ma curiosité. Cela ne te ressemble pas de jouer les imitateurs…

— Non, me coupa-t-il. D'habitude c'est l'inverse, tu le sais.

— Pourtant, c'est exactement ce que tu as fait. À deux reprises.

— Quelle est donc ta question, Alex ?

— As-tu été en contact avec eux ? Les premiers meurtriers. Sont-ils sous tes ordres, Kyle ?

Il réfléchit un instant, peut-être pour prolonger notre échange. Ou pour concocter un mensonge.

— Non et non, sur les deux points, finit-il par répondre. Ce « Patriote » manque un peu d'imagination à mon goût. Quant à l'autre, celui des chiffres ? Il présente beaucoup plus d'intérêt. Je dois admettre que je ne refuserais pas un petit tête-à-tête avec ce gaillard.

— Ainsi, tu ne connais aucun d'eux ? insistai-je.

Après une nouvelle longue pause, il se mit à rire de bon cœur, comme jamais je ne l'avais entendu auparavant.

— Alex Cross, serais-tu par hasard en train de me demander mon avis ?

— Tu étais un excellent agent, autrefois. Tu t'en souviens ? Tu me donnais de bons conseils.

— Bien sûr, ce furent les pires années de ma vie. Du moins, après celles que j'ai passées à Florence, dans cette prison prétendument de très haute sécurité. Et que je te dois. (Il se tut et je l'entendis respirer à fond pour se calmer.) Ce qui nous ramène d'ailleurs au point de départ, non ?

— En effet. Ta vie entière semble tourner autour de ton désir de me le faire payer.

— Quelque chose de cet ordre, oui.

— Alors, à quoi bon tous ces petits jeux, pourquoi nous balader, Kyle ? Qu'est-ce que tu attends ?

— L'inspiration idéale, je suppose, répondit-il sans la moindre ironie. C'est la beauté de la créativité et de l'imagination. Rester ouvert à ce qui se présente. Plus l'artiste est chevronné, plus il est capable de saisir le moment opportun.

— Alors maintenant, tu es un artiste ?

— J'imagine que je l'ai toujours été. Je perfectionne simplement mon art, voilà tout. Il serait stupide d'abandonner alors que je suis à mon apogée. Je vais pourtant te confier une chose, mon ami.

— Quoi donc ? demandai-je.

— Quand la fin surviendra… crois-moi, nous le saurons tous les deux.

QUATRIÈME PARTIE

DERNIÈRES CIBLES, STRATÉGIES FINALES

72

Ce matin-là, en sortant de Washington, Denny avait bien remarqué dans le rétroviseur extérieur du Suburban blanc des traînées de vapeur qui sortaient du pot d'échappement, sans y accorder toutefois trop d'attention. Il n'allait pas s'inquiéter de chaque hoquet mécanique d'un 4 × 4 aussi vieux.

À présent, trois heures et demie après leur départ de la capitale, le hoquet s'était transformé en un râle d'agonie. Un cliquetis sec, tristement familier, se faisait entendre dans le moteur.

Quand ils s'arrêtèrent sur le bas-côté de la Route 70, Mitch leva les yeux du magazine *Penthouse* qu'il avait fauché sur le présentoir de la station-service lors de leur dernière halte carburant.

— Denny ? Ce bruit n'est pas normal.

— Tu n'entends pas que c'est le joint de culasse ?

Il était incroyable que Mitch soit aussi efficace un fusil dans les mains, étant donné la crétinerie dont il faisait preuve la majeure partie de sa vie.

Une inspection rapide sous le capot confirma à Denny ce qu'il savait déjà, mais il attendit qu'ils soient repartis tant bien que mal sur l'autoroute pour annoncer la mauvaise nouvelle à Mitch.

— Écoute, ne commence pas à flipper, mais le vieux tacot ne nous ramènera pas à Washington. Je crois qu'on va devoir l'abandonner.

Le visage de Mitch s'éclaira d'une joie enfantine.

— Je sais où on peut faire ça ! J'allais tout le temps à la chasse dans le coin. C'est l'endroit parfait, Denny. Y a jamais personne par là-bas.

— Je pensais le larguer sur un parking longue durée à l'aéroport, et on se barre ni vu ni connu. Avant que quelqu'un comprenne qu'on ne va pas revenir le chercher...

Mitch ne se laissa pas convaincre. Tourné à demi sur son siège, il lui tirait la manche comme le ferait un gosse capricieux.

— Allez, Denny ! S'il te plaît ! insista-t-il. On n'a qu'à le foutre à l'eau, man. S'en débarrasser une bonne fois pour toutes.

Cette réaction n'avait rien de surprenant, car il se montrait de plus en plus paranoïaque au sujet du 4 × 4 depuis ce contrôle routier, au retour de leur dernier voyage en voiture. À force, cela finissait par être lassant.

D'un autre côté, pourtant, Denny se rendait compte qu'il tenait peut-être là un moyen de calmer Mitch. Il avait besoin de garder son homme concentré, cela pourrait rapporter beaucoup à long terme.

— Bon, d'accord, accepta-t-il. Nous pouvons bazarder la plupart des affaires, qui sont bonnes pour la poubelle de toute façon. Le reste, on l'emportera dans des sacs. Ensuite, nous ferons ce que ferait tout patriote américain qui se respecte.

Mitch se fendit d'un sourire radieux.

— Et c'est quoi, Denny ?

— Changer pour un modèle plus cher, mon pote. Tu as déjà démarré une voiture en trafiquant les fils du contact ?

73

Une fois leur plan exécuté, ils firent une halte pour se débarbouiller dans les toilettes d'une station Mobil, et volèrent en partant un bouquet de tulipes comme on en trouvait dans des seaux à l'extérieur de la supérette attenante. Denny aurait également souhaité qu'ils portent une tenue plus élégante, mais il se faisait déjà tard.

En effet, la nuit était tombée lorsqu'ils se garèrent enfin devant une petite maison bien entretenue de style Cape Cod, située sur Central Boulevard à Brick Township. Dans cette rue tranquille, bordée de grands arbres dont les branches se rejoignaient en une voûte au-dessus de la chaussée, on sentait le sel de l'océan porté par la brise.

— C'est ici que tu as grandi ? s'étonna Denny en regardant autour de lui. Ben mon vieux, pourquoi as-tu eu envie de partir ?

Mitch haussa les épaules.

— Je ne sais pas. Je voulais juste m'en aller.

Quand ils atteignirent la porte d'entrée, Denny dévissa l'ampoule de l'éclairage du perron avant d'appuyer sur la sonnette. Une femme d'âge mûr vint ouvrir. De même corpulence que Mitch et le visage aussi rond, elle plissait les yeux pour distinguer ses visiteurs dans l'obscurité.

— Est-ce que c'est... Mitchell ?

— Salut, m'man.

Son torchon lui en tomba des mains.

— Mitchell !

La seconde suivante, elle tirait son fils à l'intérieur pour l'envelopper de ses bras mous et dodus.

— Seigneur, Seigneur, vous avez ramené mon garçon à la maison, soyez-en remercié !

— Arrête ça, m'man.

Mitch se tortillait sous les baisers, mais il souriait en se libérant de l'étreinte de sa mère, les tulipes toujours à la main, à moitié écrasées.

— Je te présente Denny, dit-il.

— Enchanté de faire votre connaissance, madame, enchaîna celui-ci. Pardonnez-nous d'arriver ainsi, sans prévenir. Nous aurions dû appeler, je m'en rends bien compte.

Bernice Talley écarta les excuses d'un geste, comme autant de mouches importunes.

— Ne vous en faites donc pas ! Entrez, entrez !

Alors qu'elle tendait le bras derrière Denny pour fermer la porte, ses yeux s'attardèrent sur la Lexus ES garée le long du trottoir. Elle ne fit pourtant aucun commentaire.

— Je parie que vous avez faim, les garçons.

— Oui, m'man.

— Mitch a toujours faim, précisa Denny.

D'un rire entendu, Mme Talley indiqua qu'elle le savait bien. Sa hanche droite remontait terriblement à chaque pas, mais elle poursuivit son chemin en boitant, sans un regard pour la canne suspendue à un bouton de porte dans l'entrée.

— Mitchell, offre à ton ami quelque chose à boire. Je vais voir ce que je peux trouver dans le frigo.

Denny resta en arrière quand ils traversèrent le salon. L'ensemble du mobilier était coordonné, mais vieillot. Caractéristique d'un budget très serré. C'était le genre d'endroits où il imaginait facilement son paternel essayant de vendre ses aspirateurs, couteaux de cuisine et autres, bref, ce qui lui servait à payer ses bouteilles de bourbon à l'époque. Il ne devait pourtant pas être très doué, le salopard, vu qu'il ne buvait jamais rien de meilleur que de l'Old Crow.

Sur un guéridon, disposés en arc de cercle parfait, trônaient trois portraits en pied dans des cadres dorés. L'un d'eux, une reproduction d'un tableau, représentait Jésus, les yeux levés vers Dieu. Un autre montrait Mitch en costume-cravate, l'air jeune et niais. Le troisième était une photographie d'un militaire d'une cinquantaine d'années en uniforme d'apparat, exhibant sur sa poitrine un nombre respectable de décorations.

Denny pénétra dans la cuisine, où Mme Talley s'affairait devant Mitch, assis à la vieille table de Formica, sur laquelle attendaient deux bouteilles de Heineken ouvertes.

— Dites, c'est M. Talley sur la photo là-bas ? demanda-t-il.

La femme s'interrompit brusquement dans sa tâche. Sa main s'égara du côté de sa mauvaise hanche, avant de changer de direction pour ouvrir le réfrigérateur.

— Nous avons perdu M. Talley il y a deux ans, répondit-elle, le dos tourné. Dieu ait son âme.

— Je suis vraiment désolé de l'apprendre. Alors, vous vivez toute seule ici, hein ?

Denny savait qu'il se conduisait de manière ignoble, mais il n'avait pas le choix.

Elle prit son intérêt pour de la sollicitude.

— Oh, je m'en sors bien ! Un garçon du quartier tond la pelouse et déblaie la neige, et j'ai mon voisin Samuel qui vient m'aider si j'ai quelque chose de lourd à bouger.

— Bon, excusez-moi d'avoir évoqué votre mari, madame Talley. Je ne voulais pas…

— Non, non ! fit-elle en écartant de la main d'autres mouches invisibles. Il n'y a aucun problème. C'était un homme bien.

— Un homme bien qui a laissé derrière lui un bon fils, ajouta Denny.

Un doux sourire détendit les traits de Mme Talley.

— Vous n'avez pas besoin de me le dire.

Elle caressa les larges épaule de Mitch au passage, après avoir sorti un sac d'oignons du réfrigérateur pour le poser sur le plan de travail.

Denny vit alors que, sous la table, le genou de Mitch commençait à tressauter furieusement.

74

Bien que prise à l'improviste, Bernice Talley sut leur préparer en un tour de main une soupe de palourdes façon Nouvelle-Angleterre, du bon pain fait maison, une salade et deux grosses pommes de terre cuites au micro-ondes, accompagnées d'une garniture complète allant du beurre frais au bacon canadien en passant par de la crème épaisse. Denny n'avait pas aussi bien mangé depuis qu'il vivait dans ces conditions sordides, entre les foyers pour sans-abri et ce Suburban déglingué dont il était ravi d'être débarrassé à présent. Il se gavait avec volupté pendant que Mme Talley papotait au sujet de gens qu'il ne connaissait pas, Mitch se bornant pour l'essentiel à l'écouter.

Finalement, après s'être resservi de glace à la vanille Edy's nappée d'une énorme couche de sauce au chocolat, Denny repoussa sa chaise pour s'étirer les bras et les jambes, repu.

— Madame, ce fut un repas extraordinaire, déclara-t-il.

Leur hôtesse rayonna de plaisir sous le compliment.

— Attendez donc d'avoir goûté à mes gaufres au petit déjeuner !

— On reste pas dormir ici, m'man, annonça Mitch, le nez dans son bol de glace.

Instantanément, le visage de sa mère s'assombrit.

— Comment ça ? Où comptez-vous passer la nuit ? Il est déjà 21 h 30 !

— En fait, nous revenons d'une conférence à New York, s'empressa d'intervenir Denny. Mitch a pensé que ce serait une bonne idée de faire un détour pour vous rendre visite, mais nous devons être de retour à Cleveland demain matin. Nous conduirons toute la nuit afin de rentrer à temps pour le boulot.

— Je vois, dit-elle calmement, malgré l'immense chagrin qui s'entendait dans sa voix.

Denny se leva et se mit à débarrasser la table.

— Et si vous alliez dans le salon bavarder tous les deux un moment ? Je m'occupe de ranger ici.

— Non, non…, commença-t-elle par protester.

À force d'insister, il réussit à lui faire quitter la pièce avec son fils. Après leur départ, il enfila les gants Playtex jaunes dont elle se servait et fit la vaisselle. Il prit ensuite un torchon pour essuyer l'évier, le plan de travail, la table, le réfrigérateur et les deux bouteilles de bière qu'il avait bues. Enfin, il fourra les gants dans sa poche.

Une demi-heure plus tard, Mitch et lui descendaient l'allée de la maison.

— C'est une dame bien, adorable, et une cuisinière fantastique, dit-il. Désolé qu'on n'ait pas pu rester plus longtemps.

— C'est pas grave, répliqua Mitch. On a des choses à faire à Washington.

Satisfait, Denny lui donna une tape sur l'épaule. Apparemment, l'autre avait retrouvé sa motivation, il redevenait égal à lui-même.

Une fois sur le trottoir, Denny s'arrêta brusquement et claqua des doigts.

— Attends ! J'ai laissé mon portefeuille dans la cuisine. J'en ai pour une minute.

— Je vais le chercher, proposa Mitch, mais Denny le retint d'un geste.

— Mauvaise idée, Mitchie. Tu as bien vu la tête que faisait ta mère quand on est partis. Tu ne veux pas qu'elle se remette à pleurer, si ?

— Euh... non.

— Évidemment ! Installe-toi dans la voiture, et ne retourne surtout pas là-bas. Je serai revenu en moins de deux.

75

Je passais autant d'heures que possible à la maison, y compris le temps consacré à l'étude des dossiers. Entre Kyle Craig, les snipers patriotes et ces nouveaux homicides aux chiffres, mon cabinet de travail aménagé sous les combles n'avait jamais été aussi envahi de documents. Comme ils incluaient de nombreuses photographies de scènes de crime, j'avais prévenu les enfants que le bureau de papa leur était interdit jusqu'à nouvel ordre ; d'où l'appel de Jannie, cet après-midi-là.

— Salut Alex, ici Janelle la bannie, qui te téléphone de la terre lointaine située à l'étage du dessous.

Ma fille incarne à elle seule l'expression « faire la maligne ». Je m'efforce d'être à la hauteur.

— Salut à toi, ô Janelle ! Ça se passe comment dans les profondeurs ?

— Tu as une visite, papa, répondit-elle, retrouvant son sérieux. Un certain Max Siegel, il est dehors. C'est un agent du FBI.

Je crus d'abord avoir mal entendu. Qu'aurait pu faire chez moi Max Siegel ? Notre dernière rencontre avait été des plus désagréables.

— Papa ?

— Oui, je descends.

Quand j'atteignis le palier inférieur, Jannie m'y attendait toujours. Elle me suivit dans l'escalier mais je lui ordonnai de rester à l'intérieur de la maison. Puis je sortis et refermai la porte d'entrée derrière moi.

Affichant ses origines de Brooklyn avec son jean et son blouson de moto noir, Siegel se tenait sur les marches du perron, un casque noir dans une main, un sac en papier kraft dans l'autre.

David Brandabur, l'un des hommes de la sécurité, avait pris position entre le visiteur et la porte.

— C'est bon, David, le rassurai-je. Je le connais.

Siegel et moi attendîmes pour parler que David ait rejoint son poste de surveillance dans sa voiture.

— Que faites-vous ici, Max ?

Celui-ci gravit une marche de plus, s'approchant juste assez pour me tendre le sac. Je lus immédiatement sur son visage que quelque chose avait changé.

— Je ne connais pas vos goûts, dit-il.

Je sortis du sac une bouteille de Johnnie Walker Black Label. Une sorte de cadeau de réconciliation, supposai-je, sauf qu'avec cet homme, je me demandais quoi penser.

— Oui, oui, je sais, fit-il, l'air gêné. On pourrait m'appeler « agent Schizo », exact ?

— Quelque chose comme ça.

— Écoutez, Alex, j'ai conscience que ce n'est pas facile de travailler avec moi. Je prends toute cette merde très à cœur, même si je ne devrais pas, bien sûr. Je suis trop passionné. Cela contribue sans doute à mon efficacité dans le boulot, mais ça peut aussi faire de moi un vrai connard, parfois.

Malgré la tentation de répliquer « parfois ? », je me contentai d'attendre la suite.

— Bref, je suis juste venu vous dire que je sais que vous avez du pain sur la planche ces jours-ci, alors si vous avez besoin de quoi que ce soit, n'hésitez pas à me solliciter. Un coup de main du Bureau, ou même simplement un renfort de sécurité chez vous, quelqu'un pour passer la nuit ici, par exemple.

Il scruta mon visage demeuré impassible et finit par sourire.

— Sincèrement, ajouta-t-il. Pas d'entourloupe. Pas de chiqué.

J'avais envie de le croire, cela aurait facilité nos relations. Pourtant, mon instinct m'incitait encore à la méfiance à son égard ; elle n'allait pas disparaître uniquement parce qu'il m'avait apporté un cadeau en gage de paix.

C'est alors que la porte d'entrée s'ouvrit derrière moi, laissant apparaître Bree.

— Tout se passe bien, ici ? s'enquit-elle.

Siegel eut un petit rire amusé.

— Ma réputation m'a précédé, on dirait.

— En fait, nous avons à la maison une agence de presse tenue par une adolescente installée dans l'escalier, plaisanta Bree. (Elle lui tendit la main, fidèle à son rôle de pacificatrice.) Je me présente, Bree Stone.

— Inspecteur Stone ! Bien sûr. Quel plaisir de vous rencontrer. Je suis Max Siegel, le cauchemar d'Alex au FBI. Nos points de vue divergent légèrement à l'occasion.

— J'en ai entendu parler, en effet.

Et tous les deux d'éclater de rire. La scène me semblait quelque peu surréaliste. Siegel dévoilait un aspect de sa personnalité qui m'était encore inconnu, amical et ouvert, le côté « je m'intéresse aux autres ». Et qui apparaissait comme par enchantement.

Je montrai à Bree la bouteille de scotch.

— Max est seulement venu déposer ça.

— Exact, confirma-t-il, avant de redescendre une marche, prêt à partir. Bon, mission accomplie. J'ai été ravi de faire votre connaissance, inspecteur Stone.

Bree serra ma main brièvement.

— Restez donc une minute prendre un verre, proposa-t-elle. L'après-midi est déjà bien avancé. Nous avons tous mérité un petit moment de détente, j'en suis sûre.

Son invitation n'avait rien d'artificiel ; nous savions tous les trois ce qu'elle tentait de faire. Siegel me jeta un regard interrogateur. La décision me revenait et, honnêtement, j'aurais préféré dire non, mais un refus créerait sans doute plus de problèmes que nécessaire.

— Entrez, le priai-je. *Mi casa es su casa*, Max.

À l'intérieur, Jannie avait eu le temps de battre en retraite dans la cuisine, où Nana et Ali étaient plongés dans une partie de « À la pêche ! », la dernière marotte de mon benjamin. La partie s'interrompit lorsqu'ils se mirent tous à nous observer avec curiosité.

— Max, voici ma famille. Regina, Jannie, Ali, je vous présente l'agent Siegel.

Ali fixait d'un œil exorbité le casque de moto que Siegel posa devant lui.

— Vas-y, bonhomme. Essaye-le si tu veux.

— Tu peux, dis-je à mon fils.

Je sortis des verres et des glaçons, ainsi que des bouteilles d'eau minérale Smart Waters pour les enfants. Nana se dirigeait vers le placard où sont rangés les chips et les crackers, quand je lui fis un discret signe négatif de la tête.

— Vous êtes bien installés, ici, commenta Siegel, qui regardait le jardin à travers la fenêtre. Une belle maison, en pleine ville.

— Merci.

Je lui versai une petite dose de son scotch, fis de même pour Bree et moi, et ajoutai de l'eau pour Nana.

— Aux nouveaux départs ! lança Bree avec fermeté, en levant son verre.

— À l'été qui vient ! pépia Ali.

Siegel baissa les yeux vers lui avec un large sourire et lui mit la main sur l'épaule.

— À cette gentille famille, dit-il à son tour. Ça fait vraiment plaisir de vous rencontrer tous.

76

Dans une affaire de meurtre, il arrive qu'un élément déterminant nous tombe du ciel... comme un appel téléphonique un dimanche matin, en provenance d'un endroit totalement inattendu.

— Inspecteur Cross ?

— Oui ?

— Inspecteur Scott Cowen à l'appareil, police de Brick Township, dans le New Jersey. Je crois qu'on a peut-être une piste ici, pour votre problème de sniper.

Le MPD traitait des centaines de tuyaux par semaine, communiqués via la nouvelle hotline dédiée à l'enquête. Plus de quatre-vingt-dix-neuf pour cent des appels se révélaient fantaisistes ou n'aboutissaient à rien, mais ce que tenait Cowen lui avait valu de passer le barrage du dispatcheur. Aussi lui accordai-je toute mon attention.

Retournant le journal, je commençai à prendre des notes dans la marge près des mots croisés : *Cowen, Brick Township*.

— Je vous écoute.

— Hier après-midi, nous avons sorti de l'eau un Suburban blanc de 1992, à Turn Mill Pond, un étang non loin d'ici. Les plaques d'immatriculation avaient déjà été enlevées, rien de surprenant, mais à mon avis la personne qui a fait disparaître le véhicule ne s'attendait pas à ce qu'on le retrouve, du moins pas si vite. En fait, c'est parce qu'il y avait une exhibition aérienne d'ULM à l'aéroport ce week-end, et deux gars qui survolaient l'étang ont aperçu quelque chose, c'est comme ça qu'on a été prévenus…

— Et donc ? coupai-je mon interlocuteur, qui semblait ne jamais reprendre son souffle.

— Ouais, donc, il est resté dans l'eau moins de quarante-huit heures, je pense, vu qu'on a réussi à relever de sacrées bonnes empreintes. Six d'entre elles montrent chacune plus d'une douzaine de points bien nets, ce qui est super en théorie, sauf qu'aucune ne correspondait quand je les ai passées une première fois dans la base de données de l'IAFIS…

— Excusez-moi, inspecteur, pourriez-vous m'expliquer en quoi cela a un rapport avec mon affaire ?

— Eh bien, voilà. Je croyais qu'on était dans une impasse nous aussi, mais ce matin j'ai reçu un appel de la police d'État, et apparemment l'une des six empreintes présente une concordance avec celle de votre UNSUB.

Là, on approchait de quelque chose… Je me levai du canapé et montai quatre à quatre l'escalier jusqu'aux combles. Il me fallait tout de suite mes tableaux et mes notes.

UNSUB est l'acronyme d'*Unknown Subject*, et nous avions dû nous contenter de cette désignation pour l'individu effectivement inconnu qu'était notre tireur fantôme. Les empreintes que l'on avait trouvées le soir de son premier coup et ensuite sur le site du mémorial de la police avaient été laissées délibérément, comme une carte de visite. Cette nouvelle empreinte, en revanche, résultait selon moi d'une erreur et, à ce stade de l'enquête, je n'aimais rien tant qu'une erreur de base.

Je me demandais si les autres empreintes relevées dans la voiture appartenaient au même individu, ou si nous venions de récolter une piste qui nous mènerait également au deuxième membre de l'équipe de snipers.

Pour l'instant, je préférais garder cette réflexion pour moi.

— Inspecteur Cowen de Brick Township, vous n'avez pas idée du plaisir que vous me faites ! Pouvez-vous m'envoyer tout ce que vous avez ?

— Donnez-moi votre adresse e-mail. Tout est déjà scanné et prêt à partir. Nous avons six empreintes complètes, comme je disais, plus neuf autres partielles. C'était vraiment un coup de pot qu'on découvre le véhicule si vite...

— Voici mon e-mail, l'interrompis-je.

Après lui avoir dicté l'adresse, j'insistai :

— Pardon de vous presser, mais je suis impatient de voir ce que vous avez.

— Aucun problème. (Je l'entendis tapoter sur son clavier.) O.K., elles sont parties. Si vous avez besoin d'autre chose ou si vous voulez venir faire un tour sur les lieux, etc., il suffit de me le dire.

— Je n'y manquerai pas.

En vérité, pendant qu'il parlait, j'avais déjà affiché l'itinéraire pour Brick Township, New Jersey, sur mon ordinateur. Si son tuyau tenait ses promesses, je rencontrerais en personne l'inspecteur Cowen avant la fin de la journée, et nous irions ensemble faire un tour sur les lieux... etc.

77

Ces empreintes nouvelles relevées dans le New Jersey présentaient un inconvénient de taille puisque je n'avais rien à quoi les comparer. Du moins à partir d'un casier judiciaire. Par conséquent, il n'existait aucun moyen de découvrir si elles provenaient toutes de la même personne.

Je repensai à la proposition que m'avait faite Max Siegel, l'autre jour. Les ressources du FBI lui permettraient certainement d'aller plus loin que l'inspecteur Cowen dans la recherche d'une concordance. Cependant, je ne me sentais pas encore disposé à sauter sur son offre.

Après réflexion, je choisis de solliciter à nouveau Carl Freelander, mon contact militaire posté à Lagos. Mieux valait se fier à ce que l'on connaissait, même si Carl se trouvait à l'autre bout du monde et commençait peut-être à se fatiguer de mes appels.

— Deux fois en un mois, Alex ? Il va falloir qu'on t'ouvre une ligne directe. Bon, qu'est-ce que je peux faire pour toi ?

— Tout d'abord, je te dois un autre verre. Et pour ce que ça vaut, il y a des chances que je sois en train de pourchasser le même fantôme que la dernière fois, mais je dois m'en assurer. J'ai six nouvelles empreintes que j'aimerais passer dans la base de données du fichier national. Il est fort possible qu'elles appartiennent toutes à un seul individu, sans certitude, pourtant.

Cowen n'avait pas exagéré la qualité des empreintes. Le critère standard pour la police de Washington est de treize points, un point marquant par exemple la terminaison d'une ligne ou crête papillaire, ou bien une intersection entre elles. Si deux empreintes superposées présentent au minimum treize points de concordance, elles sont considérées comme identiques, sur la base d'un calcul de probabilité. Or, j'avais six scans d'empreintes valides avec lesquels travailler.

Carl me proposa de les lui envoyer et de garder ma ligne téléphonique libre pendant une heure environ.

Fidèle à sa parole, il me rappela cinquante minutes plus tard.

— Bon, c'est le cas typique de la bonne et de la mauvaise nouvelle, annonça-t-il. Deux des six empreintes que tu m'as transmises sont celles d'un militaire. Tu as l'index et le majeur de la main gauche d'un certain Steven Hennessey. Forces spéciales de l'armée des États-Unis, Delta Force, de 1989 à 2002.

— La Delta Force ? Aïe, top secret ! commentai-je.

— Ouais, ce type a combattu au Panama, en Somalie, il a fait partie de l'opération « Tempête du désert », et écoute ça : il supervisait l'entraînement au fusil longue portée pour l'armée de terre dans la province de Kunduz, en Afghanistan. Pour moi, ça ressemble carrément à un tireur d'élite.

C'était comme si je venais de gagner le jackpot aux machines à sous. Il était quasi certain que nous avions déniché notre second tueur, et celui-là avait un nom.

— Quelle est sa dernière adresse connue ? demandai-je. Sait-on où Hennessey se trouve en ce moment ?

— Oui, et c'est la mauvaise nouvelle. Au cimetière de Cave Hill, à Louisville, dans le Kentucky. Il est mort depuis des années, Alex.

78

Les trois heures et demie de route jusqu'au New Jersey passèrent en un éclair. Sans doute parce que mon esprit tourna à plein régime durant tout le trajet. Je regrettais d'être si pressé car j'aurais aimé rendre visite à mon cousin Jimmy Parker dans son restaurant, le Red Hat, situé sur les bords de l'Hudson à Irvington. Dieu sait combien j'avais besoin d'une pause et d'un bon repas.

Si quelqu'un était bel et bien enterré à Louisville, j'étais prêt à parier qu'il ne s'agissait pas du véritable Steven Hennessey. Impossible, à cause de ses empreintes dans le Suburban.

D'où la question : quelle identité avait pris Hennessey ces dernières années ? Et où était-il à présent ? Que faisaient-ils dans le New Jersey, lui et son équipier fantôme ?

J'avais prévu de retrouver l'inspecteur Cowen à Turn Mill Pond, l'étang d'où l'on avait sorti la voiture. Je voulais m'imprégner de la scène pendant qu'il faisait encore grand jour, puis aller à la fourrière pour y examiner le véhicule.

Or, quand j'appelai Cowen pour le prévenir que je serais bientôt sur place, il ne décrocha pas.

Même chose lorsque j'atteignis le point de rendez-vous, à l'extrémité sud de l'étang. J'étais furax, mais il n'y avait rien d'autre à faire que de descendre de voiture et jeter un coup d'œil aux alentours.

Turn Mill faisait partie de plusieurs plans d'eau dans la réserve naturelle protégée de Colliers Mills, qui couvrait des milliers d'hectares. À cet endroit, on ne voyait que des arbres, de l'eau et la piste par laquelle j'étais arrivé.

Un lieu isolé à souhait pour se débarrasser d'un véhicule.

Près de la rive, la terre était tassée et creusée d'ornières profondes ; c'était vraisemblablement là que la police avait tiré au sec le Suburban. À mon avis, il avait été poussé dans l'eau depuis un pont en bois enjambant le canal qui prolongeait l'étang.

De cette hauteur, l'eau pouvait donner l'impression, trompeuse à l'évidence, d'être suffisamment profonde. En tout cas, c'était le genre d'erreur de jugement impossible à réparer après coup.

Une fois mon observation des lieux terminée, je repartis vers ma voiture. Je me disais qu'il ne serait pas difficile de trouver le poste de police en ville, quand je vis au loin sur le chemin de terre une voiture de patrouille qui roulait très vite.

Elle fonça un moment le long de l'étang, prit un virage qui l'emmena dans les bois, puis réapparut. Elle stoppa pile derrière ma voiture.

Une femme blonde en uniforme descendit du véhicule et me fit signe de la main tandis que j'approchais.

— Inspecteur Cross ?

— C'est moi.

— Je suis l'officier de police Guadagno. L'inspecteur Cowen m'a demandé de venir ici pour vous ramener en ville aussi vite que possible. Il y a eu un homicide, une femme du nom de Bernice Talley.

Je supposai qu'elle voulait seulement dire que Cowen était trop occupé ailleurs pour m'aider dans mon enquête.

— Pouvez-vous me faire entrer dans la fourrière, ou avons-nous besoin de quelqu'un d'autre ?

— Non, répondit-elle. Euh, vous n'avez pas compris. Cowen souhaite que vous le rejoigniez sur la scène du crime. Il pense que le meurtre de Mme Talley aurait un rapport.

— Avec le Suburban ? Avec mon affaire de sniper ?

La policière tripota le bord de son chapeau. Elle paraissait un peu nerveuse.

— Peut-être les deux. Ça n'a rien de probant, mais le mari de cette femme a été trouvé tué par balle il y a deux ans, juste là.

Elle indiqua un bosquet situé à une trentaine de mètres le long de la rive.

— Le médecin légiste a conclu à l'époque qu'il s'agissait d'un accident de chasse, continua-t-elle. Sauf qu'aucun témoin ne s'est jamais présenté. Selon Cowen, celui qui a coulé le Suburban n'est pas arrivé ici par hasard, et franchement, on n'a pas tant d'homicides que ça, dans le coin. Il compte interroger le fils, Mitchell Talley, au sujet de ces deux morts.

Elle se tut alors, la main sur la portière ouverte de sa voiture, et s'enhardit cette fois à me regarder droit dans les yeux.

— Inspecteur, cela ne me regarde probablement pas, mais croyez-vous que ce type puisse être votre tueur, là-bas, à Washington ? J'ai suivi cette affaire dès le début.

Je choisis d'éluder.

— Laissez-moi jeter un coup d'œil à la scène de crime avant que je me prononce.

Et pourtant, la réponse à sa question était : oui.

79

Deux files de véhicules de la police étaient garés devant le domicile de Bernice Talley lorsque nous arrivâmes sur les lieux. La maison était entourée d'un ruban de sécurité qui tenait à distance les voisins curieux. Il ne faisait aucun doute que ceux-ci garderaient leurs portes et fenêtres soigneusement fermées pour de nombreuses nuits à venir.

Guadagno m'escorta à l'intérieur et me présenta à l'inspecteur Cowen, qui paraissait être aux commandes. C'était un homme grand, au torse épais, et son crâne chauve luisant accrochait la lumière tandis qu'il parlait sans interruption.

Exactement comme au téléphone, son briefing prit la forme d'un long monologue, toutefois instructif dans l'ensemble.

Mme Talley avait été découverte étendue sur le sol de sa cuisine par le garçon qui tondait sa pelouse le dimanche. On lui avait tiré dessus à bout portant, une seule fois et dans la tempe, avec un neuf millimètres, semblait-il. L'heure précise de la mort restait à déterminer, mais elle ne remontait pas à plus de soixante-douze heures.

La femme vivait seule depuis le départ de son fils, Mitchell, deux ans auparavant, soit peu de temps après que son père avait été tué. En outre, selon une rumeur qui courait dans le voisinage, M. Talley était connu pour battre régulièrement son épouse. Et peut-être également Mitchell.

— Cela constituerait un mobile, au moins pour le meurtre de son père, conclut Cowen. Quant à la raison qui l'a poussé à revenir ici et abattre sa pauvre mère, elle m'échappe totalement. Et puis, bien sûr, il y a ça.

Il me désignait une étagère dans le salon, chargée de coupes et de médailles. Je constatai qu'elles avaient toutes été gagnées lors de compétitions de tir : New Jersey Rifle and Pistol Club, Junior National Rifle Association, divers concours de tir sur cible à cinquante et à trois cents mètres. La plupart des distinctions étaient des médailles d'or ou équivalent, contre quelques-unes d'argent et de bronze.

— Le gamin est un as dans ce domaine, commenta Cowen. Une sorte de prodige, quoi. Il est peut-être aussi un peu… vous savez. Simple d'esprit.

Il pointa le doigt vers une photographie encadrée trônant sur l'un des guéridons.

— C'est lui, là, il y a une dizaine d'années. On en cherche une plus récente dont on pourrait se servir.

Sur ce cliché, le garçon devait avoir dans les seize ans. Un visage rond, presque chérubin si l'on faisait abstraction du regard éteint et du semblant de moustache ridicule. On avait du mal à imaginer que quiconque l'ait pris au sérieux à l'époque.

Il tire son pouvoir des armes à feu, pensai-je. *Depuis toujours*.

J'observai de nouveau les trophées. Le tir était sans doute le seul réel talent de Mitchell Talley. L'unique chose dans sa vie sur laquelle il avait un contrôle. À première vue, il faisait un suspect logique.

— Quand l'a-t-on vu dans le coin pour la dernière fois ? demandai-je. Rendait-il parfois visite à sa mère ?

Cowen eut un haussement d'épaules contrit.

— Nous n'avons pas encore d'informations sûres, vous nous prenez juste au début de l'enquête. Nous n'avons même pas eu le temps de relever les empreintes dans la maison. On vient juste de découvrir la mère. D'ailleurs, vous avez de la chance de vous trouver sur place.

— Ouais, je suis un vrai veinard !

J'avais l'impression que la notoriété de l'affaire du sniper rendait les gens nerveux, ici aussi. Apparemment, tout le monde savait qui j'étais, et chacun se tenait à distance respectueuse de moi.

— Ne vous inquiétez pas. Il est normal que vous n'ayez pas encore avancé plus que ça, rassurai-je Cowen. J'ai cependant quelques idées sur la façon dont on pourrait procéder à partir de là.

80

Plusieurs mesures furent très vite prises à Brick Township, principalement parce qu'elles m'étaient utiles.

Grâce à mes contacts avec le FIG de Washington, je fus mis en relation avec le coordinateur de celui de Newark. Comme nous étions dimanche soir, et que nous avions des raisons suffisantes de croire que Mitchell Talley se déplaçait et avait donc franchi, ou franchirait, des frontières juridictionnelles, nous réussîmes à obtenir immédiatement un mandat d'amener provisoire. Cowen disposerait ainsi de quarante-huit heures pour se procurer un mandat d'arrêt en bonne et due forme. Entre-temps, Newark alerterait de son côté toutes les forces de l'ordre le long de la côte est.

Il n'était pas question pour le moment de mentionner l'existence de Steven Hennessey ou d'un quelconque complice. Le mandat ne citait que Mitchell Talley, précisant que la police souhaitait l'interroger dans le cadre des décès de Bernice et Robert Talley. Où que se trouvent nos présumés snipers, je tenais à les laisser dans l'ignorance que nous avions établi un lien entre ces affaires et celle de Washington ; il me fallait d'abord glaner davantage de renseignements.

Cowen accepta de m'aider sur ce point et je fis en sorte que, pendant ce temps, son équipe travaille main dans la main avec Newark dans la traque de leur suspect. Quelqu'un dénicha, dans l'album photo de sa mère, un instantané de Mitchell Talley dont une reproduction numérisée servirait à la diffusion de l'avis de recherche aux niveaux local et régional.

Objectivement, personne ne pensait que Talley était encore dans les environs. Aussi le travail se concentrait-il sur les rapports de voitures volées, la surveillance des transports publics et la récupération des enregistrements des caméras installées dans les aéroports ainsi que dans les gares ferroviaires et routières. Avec un peu de chance, on parviendrait à découvrir quelque part un témoin oculaire, voire un élément instructif sur une bande vidéo.

Ce qui se rapprochait le plus d'une piste pour l'instant nous avait été fourni par une voisine âgée de Mme

Talley. Elle avait remarqué une berline garée devant la maison quelques nuits auparavant, mais était incapable de préciser le modèle, la marque ou la couleur de la voiture, ou même combien de temps elle était restée là.

Je transmis cette information, si mince soit-elle, à Jerome Thurman, qui, depuis le début de mon enquête, se chargeait de suivre pour moi toute piste concernant un véhicule.

Mais je commençais à craindre de m'être éloigné trop longtemps de Washington. Certes, Talley et Hennessey ne prévoyaient peut-être pas d'y retourner – si c'était d'ailleurs bien de là qu'ils étaient venus. Je devais pourtant écarter cette hypothèse, car tout me portait à croire qu'ils étaient déjà rentrés dans la capitale, occupés à planifier leur prochain coup.

À la minute où j'eus fini de tout régler avec l'inspecteur Cowen, je sautai dans la voiture pour rentrer chez moi. J'effectuai le trajet le pied au plancher, la sirène à plein volume.

81

À 8 h 30 le lendemain matin, Colleen Brophy entra dans la cour de l'église d'E Street où je l'attendais, posté devant la porte menant aux bureaux du *Vrai*

Journal. Elle était chargée d'un sac à dos bien rempli et d'une brassée de journaux, et une cigarette presque terminée pendait au coin de sa bouche.

— Oh, non ! s'exclama-t-elle à ma vue. Encore vous ! Qu'est-ce que vous voulez, cette fois ?

— Je ne serais pas là si ce n'était pas important, Mme Brophy. Je connais parfaitement votre sentiment au sujet de toute cette histoire.

Il n'empêche que, après ce long dimanche passé en majeure partie sur la route, je n'étais « pas d'humeur à supporter les humeurs », comme aime à dire Sampson.

La rédactrice en chef déposa sa pile de journaux sur le banc en pierre dont je venais de me lever, et s'assit.

— En quoi puis-je vous être utile ? demanda-t-elle sur un ton plus sarcastique que jamais. Étant donné que je n'ai pas le choix.

Je lui montrai la photographie de Mitchell Talley.

— Connaissez-vous cet homme ?

— Oh, allons ! protesta-t-elle aussitôt. Vous ne pensez pas sérieusement que c'est lui qui a envoyé ces e-mails ?

— Je prends ça pour un oui. Merci. Quand l'avez-vous vu pour la dernière fois ?

Avant de répondre, elle sortit une nouvelle cigarette et l'alluma avec le mégot encore incandescent de l'autre.

— Avez-vous vraiment besoin de m'impliquer ? La relation de confiance que j'ai avec ces gens est si fragile.

— Madame Brophy, ce n'est pas un simple voleur à l'étalage que je vise.

— Je comprends bien, mais moi, ce sont justement pour les voleurs à l'étalage que je me fais du souci. Beaucoup de sans-abri avec lesquels je travaille sont obligés d'enfreindre la loi de temps en temps pour s'en sortir. Si l'un d'eux me surprend à vous parler…

— Notre conversation peut rester confidentielle, la rassurai-je. Personne n'en sera informé. Enfin, si nous parvenons à nous entendre. Avez-vous croisé cet homme récemment ?

Après une nouvelle longue pause et quelques bouffées de plus, elle se décida.

— Je crois que c'était la semaine dernière. Ils sont venus prendre leurs journaux mercredi, comme tout le monde.

— Ils ? insistai-je.

— Ouais, Mitch et son ami, Denny. Ils forment…

Elle s'interrompit, tournant lentement la tête vers moi. Elle semblait avoir soudain fait le rapport entre deux choses.

— Oh, mon Dieu ! s'exclama-t-elle. Ils forment une sorte d'équipe ! Ce sont ceux que vous recherchez, n'est-ce pas ?

Un déclic se fit dans mon esprit : une pièce du puzzle s'emboîtait brusquement dans une autre. Venais-je de trouver mon Steven Hennessey ?

— Quel est le nom de famille de Denny ?

— Je ne sais pas, honnêtement. C'est un Blanc, grand et mince. Il a toujours une barbe de plusieurs jours et un… (Elle agita les doigts sous sa bouche.) On pourrait appeler ça un menton fuyant. Il a un genre d'ascendant sur Mitch.

— Et vous dites qu'ils récupèrent les journaux le mercredi ?

Elle opina de la tête.

— Ils reviennent parfois en chercher d'autres s'ils ont vendu leur lot, mais je ne les ai pas vus récemment. Je vous le jure. Je me rends compte maintenant que c'est très grave.

— Je vous crois.

Son attitude avait radicalement changé. Elle paraissait plus triste qu'autre chose, à présent.

— Auriez-vous une idée de l'endroit où je devrais les chercher, ces deux-là ? lui demandai-je.

— Partout. Denny possède un vieux Suburban blanc qui leur sert à se déplacer quand il a assez d'argent pour l'essence. Je sais qu'il leur arrive de dormir dedans.

Le Suburban était désormais une impasse, mais je n'en informai pas Mme Brophy.

— Et tentez aussi votre chance dans les foyers, ajouta-t-elle. Il y en a une liste au dos du journal. (Elle attrapa le premier de la pile près d'elle et me le tendit.) Oh, si vous saviez combien je m'en veux de vous raconter tout ça !

— Vous avez tort, répliquai-je en lui donnant un dollar pour le journal. Vous avez pris la bonne décision.

Enfin…

82

Après une longue journée passée à inspecter foyers et soupes populaires, je n'étais pas plus avancé qu'au matin. Talley et Hennessey auraient très bien pu se trouver encore dans le New Jersey. Ou être partis au Canada. Ou même en fumée.

Mais alors que je faisais un saut au bureau pour récupérer des dossiers à emporter chez moi, Jerome Thurman m'intercepta devant l'ascenseur.

— Alex ! Tu t'en vas ?

— J'en avais l'intention.

— Peut-être plus maintenant, dit-il en me montrant une page imprimée. Je crois qu'on tient quelque chose, là. Un truc qui a l'air intéressant.

En principe, Jerome travaille au Premier District, mais je lui avais déniché un bureau dans l'unité des vols d'automobiles au bout du couloir, d'où il pouvait suivre directement toute piste de véhicule lié à mon affaire. Par « bureau », il faut imaginer une pile de caisses dans leur local d'archives sur laquelle il installait son ordinateur portable, mais Jerome n'a jamais été homme à se plaindre.

Il avait sorti d'une base de données du FBI une liste de véhicules faisant l'objet d'une enquête. L'un des numéros d'immatriculation était entouré au feutre bleu.

NJ — DCY 488

— Il s'agit d'une Lexus ES, déclarée volée dans une résidence de standing à Colliers Mills, expliqua Jerome. C'est à quoi ? Trois, quatre kilomètres de la réserve naturelle où on a coulé ton Suburban.

J'ébauchai un sourire d'espoir.

— Dis-moi que tu as plus que ça, Jerome. Il y a autre chose, hein ?

— Oui, et c'est la meilleure partie, en fait. Une caméra LPR a enregistré le numéro de la Lexus à l'entrée du parking longue durée de l'aéroport Washington National, samedi matin à 4 h 45.

LPR est l'abréviation de License Plate Reader. La caméra est équipée d'un logiciel de reconnaissance optique de caractères qui lit les plaques minéralogiques des véhicules à leur passage et compare ensuite ces numéros avec ceux de véhicules recherchés ou volés. C'est une technologie sensationnelle, même si ses défauts sont encore loin d'avoir été tous corrigés.

— Comment se fait-il qu'on ne découvre cette information que maintenant ? m'étonnai-je. Plus de quarante-huit heures se sont écoulées depuis samedi. Quel était le problème ?

— À l'aéroport, le système de transmission n'est pas en direct. Les enregistrements des caméras sont téléchargés manuellement une fois par jour, du lundi au vendredi seulement. J'ai reçu l'info il y a quelques minutes à peine. Mais au final, Alex… J'en déduis que tes oiseaux sont rentrés au nid.

— Et moi j'en déduis que tu as raison, approuvai-je, avant de faire demi-tour en direction de mon bureau.

Le temps que j'y arrive, pourtant, mon excitation s'était teintée d'inquiétude. Au mieux, la situation était à double tranchant. Vu l'état d'alerte actuel concernant Talley et Hennessey, une seule raison à mon avis pouvait expliquer leur retour à Washington. Si nous ne mettions pas rapidement la main sur au moins l'un des deux hommes, le risque était grand qu'un autre renard dans le poulailler se prenne bientôt une balle dans la tête.

Rien ne vaut un peu de pression pour pousser à travailler de son mieux, non ?

83

Minuit venait de sonner lorsque Denny s'approcha de la Lincoln Town Car noire garée dans Vermont Avenue. Il monta à l'arrière, où l'attendait l'homme qu'il ne connaissait que sous le nom de Zachary. L'habituel chauffeur-gorille anonyme était assis au volant, regardant droit devant lui.

— C'est une course contre la montre pour ce coup-là, déclara Denny sans détour. Il faut qu'on boucle la mission avant que tout ça nous pète à la figure.

— Nous sommes d'accord, approuva Zachary.

Comme si la décision lui revenait. Comme si ce n'était pas le mystérieux grand patron qui tirait les ficelles, rédigeait les chèques et menait la danse depuis sa tour d'ivoire.

Zachary sortit une chemise cartonnée du vide-poche au dos du siège avant et la lui tendit.

— Ce sera notre dernier arrangement. Allez-y, prenez-la.

Notre « arrangement » ! Ce type était incroyable.

La chemise comportait deux dossiers, si l'on pouvait les appeler ainsi : deux photographies, quelques paragraphes et des cartes Google collées à la va-vite sur une feuille, comme un devoir bâclé de gamin d'école primaire. Les milliards du client étaient employés à tout sauf à la préparation des documents.

Les noms sur les dossiers, par contre... Eux étaient impressionnants !

— Eh bien, eh bien, s'exclama Denny. On dirait que votre boss veut faire un carton. C'est un jeu de mots, une petite blague, quoi. Sans supplément.

Zachary remonta sur son nez ses prétentieuses lunettes à monture d'écailles.

— Contentez-vous de lire les instructions, le rembarra-t-il.

Quel plaisir ce serait que de flanquer un bon direct sur le menton de ce type, juste une fois. Rien de trop sérieux, seulement assez pour que son visage s'anime enfin. N'importe quelle expression vaudrait mieux que cet air imperturbable.

Le moment étant néanmoins mal choisi pour sortir du rang, Denny la boucla et s'accorda quelques minutes pour mémoriser les informations. Puis il replaça la chemise dans le vide-poche et se rassit confortablement.

La phase suivante se déroula selon le scénario habituel. Zachary se pencha au-dessus du siège avant, prit la pochette en toile des mains de M. Sans-Nom et la posa sur l'accoudoir. Denny s'en saisit.

Il constata immédiatement qu'elle était trop légère.

— Eh, c'est quoi cette histoire ? protesta-t-il en la lâchant sur l'accoudoir le séparant de Zachary.

— Ceci représente un tiers du paiement. Vous aurez le reste quand tout sera terminé. Nous procédons un peu différemment, cette fois.

— Pas question, bordel !

En un clin d'œil, le chauffeur s'était retourné et par-dessus le dossier enfonçait un .45 sous le nez de Denny, qui sentit une odeur de poudre. L'arme avait servi récemment.

— Maintenant, écoutez-moi, susurra Zachary. Vous serez payé en totalité. Le seul changement aujourd'hui concerne nos conditions de règlement.

— C'est n'importe quoi ! Vous feriez mieux de ne pas déconner avec moi en ce moment.

— Écoutez, vous dis-je. Votre incompétence dans le New Jersey a été très mal vue. Steven, c'est bien ça ? Puisque les autorités connaissent désormais votre véritable nom, il nous faut une garantie, c'est une pratique normale en affaires. Donc, ce contrat va-t-il oui ou non être exécuté sans accroc ?

Au lieu de répondre à ce qui n'était qu'une question rhétorique, Denny récupéra la pochette en toile. Ce geste parlait de lui-même. Son nez fut libéré de l'arme et le chauffeur recula, sans toutefois reprendre sa place au volant.

— Avez-vous remarqué la voiture garée derrière nous ? demanda Zachary sur un ton paisible, comme s'ils avaient été assis là à bavarder entre amis tout ce temps.

Denny avait vu en effet ce vieux break Subaru bleu, immatriculé en Virginie. Son radar interne d'équipier de sniper fonctionnait en permanence.

— Oui, et alors ? répliqua-t-il.

— Vous devez quitter la ville. Nous courons trop de risques, ici. Emmenez Mitch avec vous dans un coin discret ; la Virginie-Occidentale, ou ailleurs, là où cela vous semble le mieux.

— Juste comme ça ? Et je suis censé dire quoi à Mitch ? Il me pose déjà beaucoup trop de questions.

— Je suis convaincu que vous saurez vous débrouiller avec lui. Et emportez ceci.

Zachary lui tendit un téléphone Nokia argenté, sûrement crypté, et précisa :

— Ne l'allumez pas, mais consultez les messages toutes les six heures au minimum. Et tenez-vous prêts à partir dès que nous vous le dirons.

— Par simple curiosité, qu'est-ce que c'est que ce « nous » à la con ? Savez-vous seulement pour qui vous travaillez ?

Zachary se pencha devant Denny pour lui ouvrir la portière. Ils en avaient terminé.

— Cette mission va vous rapporter très gros, Denny. Ne la fichez pas en l'air. Ne commettez pas d'autres erreurs non plus.

84

Le deuxième jour de ma tournée des foyers pour sans-abri, je mis à contribution Sampson et d'autres membres de mon équipe, ce que j'aurais dû faire plus tôt. Je rappelai même à Max Siegel sa proposition d'aide, dans l'espoir qu'il aurait quelques gars à peu près vaillants sous la main.

Il me surprit lorsqu'il se présenta en personne, accompagné de deux jeunes assistants zélés. Nous nous répartîmes les établissements qu'il restait à visiter et il fut convenu de se retrouver en fin d'après-midi dans l'un des plus importants, situé sur la 2e, afin d'y surveiller le repas du soir ainsi que l'accueil pour l'hébergement de la nuit.

À 17 heures, nous étions donc regroupés au Lindholm Family Services lorsque la cantine ouvrit ses portes pour le dîner. On y servait un millier de repas par jour, à une clientèle conforme à ce qui était attendu, hormis quelques exceptions étonnantes.

Les dîneurs se composaient de familles avec des enfants, de gens parlant tout seuls et d'habitués dont l'allure donnait à penser qu'ils arrivaient directement d'un bureau des environs, tout ce petit monde mangeant coude-à-coude sur de longues tables de réfectoire.

Durant une heure, ce ne fut qu'une répétition frustrante de la journée précédente ; aucun de ceux disposés à me parler ne reconnut Mitch d'après sa photographie, ni Steven Hennessey, alias Denny, sur celle assez ancienne que j'avais sortie de son dossier militaire. Sans compter que certains refusaient d'emblée toute communication avec la police.

Un homme en particulier paraissait s'être réfugié dans un monde à lui. Assis à l'extrémité de l'une des tables, son plateau en équilibre sur l'angle, il s'isolait ostensiblement. En m'approchant de lui, j'entendis qu'il marmonnait tout seul.

— Pourrais-je vous parler une seconde ?

Ses lèvres cessèrent de bouger, mais comme il ne levait pas les yeux, je tins la photographie suffisamment bas pour l'obliger à la voir.

— Nous essayons de faire passer un message à cet homme, Mitch Talley. Il y a eu un décès dans sa famille et il faudrait le prévenir.

Une demi-vérité, de celles dont on doit parfois s'arranger pour atteindre notre but. De plus, nous avions ce jour-là revêtu des tenues décontractées, la veste et la cravate pouvant nous desservir dans ce genre d'endroits.

L'homme fit un signe négatif de la tête.

— Non, répondit-il trop rapidement. Non, désolé. Je ne le reconnais pas.

Son accent prononcé m'évoquait l'Europe de l'Est.

— Regardez mieux, l'encourageai-je. Mitch Talley ? Il traîne en général avec un gars qui s'appelle Denny. Cela ne vous rappelle vraiment rien ? Votre aide nous serait très utile.

Il observa le cliché un peu plus longuement et frotta d'un geste machinal sa barbe poivre et sel, emmêlée au point de former des sortes de dreadlocks à mi-longueur.

— Non, répéta-t-il, les yeux obstinément baissés. Désolé. Je ne l'ai jamais vu.

— Très bien, dis-je, sans insister davantage. Au cas où quelque chose vous reviendrait, n'hésitez pas, je vais rester ici un moment.

À peine m'étais-je écarté d'un pas qu'il reprenait ses marmonnements. Je décidai de garder un œil sur lui, me fiant à mon flair.

Comme par hasard, dès que je m'adressai à une autre personne, le monologueur se leva pour partir. Je regardai alors la table et son plateau abandonné : il n'avait presque pas touché à son repas.

— Excusez-moi, monsieur ?

Je l'avais appelé d'une voix si forte que plusieurs dîneurs autour de lui tournèrent la tête vers moi.

Pas lui, cependant ; il s'éloignait sans réagir.

— Monsieur !

Je m'élançai derrière lui, attirant l'attention de Sampson qui m'emboîta le pas. Il était clair que le marmotteur filait tout droit vers la sortie. Quand il finit par se retourner, comprenant que nous le suivions, il se mit à courir. Il franchit comme une flèche la porte à double battant et déboula dans la rue avec un peu d'avance sur nous.

85

Notre sprinter se trouvait toujours dans la 2e, à mi-hauteur, quand nous sortîmes du Lindholm. Pour un homme qui me paraissait âgé d'une cinquantaine d'années, il courait drôlement bien.

— Merde, merde, merde...

Poursuivre quelqu'un à pied, c'est une plaie. Réellement. C'est la dernière chose que l'on souhaite à la fin d'une longue journée, quelles qu'en soient les variantes. Et nous voilà pourtant, Sampson et moi, à cavaler aux trousses d'un type dérangé.

Je lui criai à plusieurs reprises de s'arrêter, mais cette idée ne rentrait manifestement pas dans sa stratégie.

À cette heure de pointe, les bouchons dans D Street ralentissaient suffisamment la circulation pour lui permettre de traverser facilement.

Je me faufilai à sa suite entre un taxi et un camion de la société EMCOR, tandis que deux clochards, installés devant le foyer sur des chaises de jardin, hurlaient derrière nous :

— Cours, mon pote ! Cours !

— Allez, allez, allez, allez !

Ces encouragements ne devaient pas m'être destinés.

Le fuyard fila tout droit dans le petit parc proche du ministère du Travail, qui permettait de couper en diagonale entre les tours, vers Indiana Avenue... que notre homme n'atteignit jamais.

Cette zone étant construite en terrasses, il lui fallut escalader le premier mur de soutènement, ce qui le ralentit juste assez ; je posai un pied sur le bord et les deux mains sur ses épaules et nous nous écroulâmes sur une bande de végétation. Au moins n'étions-nous pas tombés sur le sol dur du trottoir.

Il se débattit aussitôt comme un forcené, cherchant d'abord à se libérer, puis à me mordre. Sampson nous rejoignit et lui enfonça son genou dans le dos pour le clouer à terre pendant que je me relevais.

J'entrepris une fouille rapide de ses vêtements.

— Tenez-vous tranquille, monsieur ! lui intima Sampson.

— Non ! Non ! S'il vous plaît, cria l'autre, toujours au sol. Je n'ai rien fait ! Je suis innocent !

— Et ça, qu'est-ce que c'est ? rétorquai-je.

J'avais sorti un couteau de la poche extérieure de sa parka crasseuse. Il était rangé dans un carton de rouleau de papier toilette enveloppé de toile adhésive.

— Vous n'avez pas le droit de le prendre ! S'il vous plaît ! Ça m'appartient !

— Je ne le confisque pas, je le garde pour le moment, c'est tout.

Sampson m'aida à le remettre debout et on l'emmena s'asseoir sur le mur.

— Monsieur, avez-vous besoin de soins médicaux ? demandai-je.

Son front était écorché à cause de notre chute, et cela m'ennuyait un peu. À trembler ainsi devant moi, il avait l'air pitoyable. Malgré son ardeur à se défendre une minute plus tôt, jusqu'à vouloir m'arracher un doigt avec ses dents.

— Non, non, refusa-t-il.

— Vous en êtes certain ?

— Je ne suis pas dans l'obligation de vous parler. Vous n'avez aucune raison de m'arrêter.

Son anglais était bon, bien qu'un peu emprunté. Et il n'était à l'évidence pas aussi perturbé que je l'avais cru, même s'il continuait à fuir notre regard.

— Et que faites-vous de ça ? répliquai-je en lui montrant le couteau, que je passai à Sampson. Bon, vous avez filé en abandonnant votre dîner. Voulez-vous un hot-dog ? Quelque chose à boire ?

— Je ne suis pas dans l'obligation de vous parler, répéta-t-il.

— Ouais, j'avais compris. D'accord pour un Coca-Cola ?

Il acquiesça, la tête baissée.

— Un hot-dog, un coca, lança Sampson.

Il partit à la recherche d'un vendeur ambulant dans D Street. Je voyais Siegel et ses hommes sur le trottoir, attendant de savoir ce qui s'était passé. Au moins Max restait-il à l'écart ; c'était un changement appréciable.

— Écoutez, repris-je. Vous avez remarqué que je ne vous ai pas demandé votre nom ? Tout ce que je veux, c'est trouver cet homme de la photo, et je pense que vous savez quelque chose, sans le dire.

— Non, protesta-t-il. Non, non. Je ne suis qu'un pauvre homme.

— Alors pourquoi vous êtes-vous sauvé ?

Il refusa de répondre, et je ne pouvais l'y forcer. Il avait raison à ce sujet, mon intuition ne justifierait pas une garde à vue.

Cela dit, il existait d'autres moyens d'obtenir des informations.

Quand Sampson revint avec les vivres, l'homme avala le hot-dog en trois bouchées, but le soda d'un trait et se leva.

— Je suis libre de m'en aller, oui ?

— Voici mon numéro de téléphone, dis-je. Juste au cas où vous changeriez d'avis.

Je lui tendis l'une de mes cartes de visite, et Sampson lui rendit le couteau dans son fourreau en carton.

— Vous n'avez pas besoin d'argent pour m'appeler, précisai-je. Il vous suffit d'expliquer à n'importe quel agent dans la rue que vous souhaitez me joindre. Et ne vous attirez pas d'ennuis avec ce couteau, d'accord ?

Il ne nous salua pas, bien entendu. Il empocha le couteau et prit la direction de D Street tandis que nous restions là, à le regarder partir.

— Vas-y, Sampson, parle. Est-ce que nous avons la même idée ?

— Je pense que oui. Il sait quelque chose. J'attends qu'il ait tourné au coin de la rue.

— Parfait. Je vais demander à Siegel de terminer sans moi au foyer. Ensuite, je me charge d'apporter cette canette de coca au labo, pour voir ce qu'elle a à nous apprendre.

Notre homme mystérieux venait d'atteindre First Street. Il tourna à gauche et disparut de notre vue.

— O.K., c'est le moment d'y aller, déclara Sampson. Je t'appelle si j'ai quoi que ce soit.

— Pareil pour moi, dis-je avant que nous ne nous séparions.

86

En s'éloignant des policiers, Stanislaw Wajda sentait encore son cœur cogner à grands coups dans sa poitrine. Ils n'en avaient pas fini avec lui. *Non, non, pas du tout*.

De fait, lorsqu'il atteignit l'angle de la rue et risqua un coup d'œil derrière lui, ils étaient toujours en train de l'observer. Ils allaient probablement le suivre.

S'enfuir ainsi avait été une erreur. Cela n'avait servi qu'à empirer les choses. À présent, il n'avait pas d'autre choix que de continuer à se déplacer. *Oui*.

Le caddie de supermarché se trouvait exactement là où il l'avait laissé, dans le renfoncement d'une porte à l'arrière du Lindholm. Personne n'était censé passer par là, très peu de gens d'ailleurs connaissaient l'existence de cet accès.

Il y avait juste assez de place pour ranger le caddie hors de vue depuis la rue quand il lui était impossible de le surveiller. Après l'avoir tiré de sa cachette, il s'engagea sur le trottoir, avec lenteur et prudence, prêt à fuir de nouveau s'il le fallait.

Cela lui faisait du bien de bouger, la marche avait un effet apaisant sur lui. De plus, les vibrations du chariot et le raclement de ses roues sur le sol produisaient une sorte de bruit blanc qui bloquait les sons de la ville, créant un espace dans lequel il pouvait réfléchir avec lucidité et se concentrer sur sa tâche et sur les mesures à prendre.

Si seulement il arrivait à se rappeler où il s'était interrompu.

N'était-ce pas au 44 de Mersenne ? Oui, voilà ! Le 44 de Mersenne.

Le nombre lui revenait peu à peu, comme un scintillement perçant les ombres de son esprit jusqu'à ce qu'il parvienne à le voir clairement.

Le voir et le répéter.

À mesure qu'il les retrouvait, les mots se bousculaient dans sa bouche pour sortir, mais tout bas, à peine un marmonnement ; incompréhensible pour les autres, juste assez distinct pour redonner au nombre sa réalité.

— Deux puissance trente-deux millions cinq cent quatre-vingt-deux mille six cent cinquante-sept.

Oui ! C'était la formule exacte. Le 44 de Mersenne. Oui, oui, oui !

Accélérant soudain le pas, il continua sa route sans un regard derrière lui.

87

Le calme régnait à la section d'analyse des empreintes digitales quand j'y entrai. La seule personne présente dans le laboratoire faisait partie du personnel civil, un analyste du nom de Bernie Stringer, que l'on appelait généralement « Strings ». J'entendais du hard rock beugler dans son iPod, qu'il écoutait en travaillant.

— J'espère que ce n'est pas prioritaire ! hurla-t-il, avant d'ôter de son oreille l'un des écouteurs. J'ai déjà les Stups qui me poussent au cul.

Deux boîtes pleines de lamelles étaient posées sur la paillasse près de lui.

— J'ai seulement besoin d'un relevé d'empreintes là-dessus, expliquai-je, tenant la canette de Coca-Cola par le rebord.

— Ce soir ?

— Oui. Maintenant.

— Faites-vous plaisir, alors. La cyanoacrylate est dans le tiroir à côté du caisson de fumigation.

Cela me convenait parfaitement. J'aime travailler dans le laboratoire de temps à autre. Je m'y sens plus intelligent, bien que le relevé d'empreintes soit le b.a.-ba en matière de criminalistique.

Je plaçai la canette dans le caisson vitré hermétique, puis une coupelle dans laquelle j'avais versé au préalable quelques gouttes de cyanoacrylate – qui n'est rien de plus que de la colle extra-forte – et laissai le tout chauffer un moment.

En l'espace d'un quart d'heure environ, j'obtenais un jeu de quatre superbes empreintes qui ressortaient sur la surface de la canette. Celles de la grosse patte de Sampson apparaissaient aussi, mais leur taille les distinguait aisément des autres.

J'aspergeai de poudre noire celles qui m'intéressaient et en pris quelques photographies, par mesure de précaution.

Ensuite, il me suffit de les relever à l'aide d'adhésif transparent et de les transférer sur du papier bristol, prêtes à être scannées.

— Hé, Strings ! criai-je. Puis-je utiliser votre ordinateur ?

— Faites comme chez vous ! Le mot de passe est G-R-O-S-C-U-L.

— Évidemment...

— Hein ? Vous dites ?

— Rien.

Une fois les empreintes enregistrées dans l'ordinateur, le système IAFIS prit une demi-heure pour recracher quatre correspondances potentielles. Dans de nombreux cas, la comparaison finale se fait à l'œil nu, ce qui permet de garder une dimension humaine au processus.

Il ne me fallut d'ailleurs pas longtemps pour valider l'une des quatre.

Le dessin des arcs sur l'index de notre homme était relativement distinctif, même dans ce genre de puzzle.

En quelques frappes sur le clavier, un nom et un casier judiciaire s'affichèrent sur l'écran.

Il s'agissait d'un certain Stanislaw Wajda.

Au moins ce nom expliquait-il son accent. Il avait été arrêté une seule fois, pour violence conjugale, à College Park dans le Maryland ; l'incident s'était passé un an et demi plus tôt. Ces informations ne semblaient pas me mener bien loin.

Or, je venais en réalité de découvrir par hasard un tueur.

88

Une première recherche sur Internet avec les mots-clefs « Stanislaw Wajda » donna toutes sortes de résultats différents. En affinant ma demande pour la limiter aux communiqués de presse, j'obtins une ribambelle d'articles vieux d'un an qui évoquaient une affaire de personne disparue.

Comme ils semblaient prometteurs, je cliquai sur le premier, publié par le *Baltimore Sun*.

Disparition d'un professeur : le mystère reste entier

College Park, 12 avril — Les recherches se poursuivent pour retrouver Stanislaw Wajda, professeur à l'université du Maryland. Âgé de 51 ans, il a été vu pour la dernière fois sur le campus, alors qu'il sortait de l'A. V. Williams Building, le 7 avril au soir.

Depuis lors, l'état mental de M. Wajda au moment de sa disparition a donné lieu à de nombreuses conjectures. Bien que la police locale et les autorités de l'université se refusent à tout commentaire sur ce sujet, l'instabilité du comportement du professeur au cours des six derniers mois est de notoriété publique.

En octobre, la police s'est rendue au domicile de M. Wajda, dans Radcliffe Drive, en réponse à un appel d'urgence. Le professeur, qui n'avait aucun antécédent criminel, a été inculpé pour coups et blessures sur son épouse, et détenu au poste toute la nuit, jusqu'à ce que la plainte ait été retirée.

À l'université, le Pr Wajda a été convoqué à deux reprises dans l'année par le doyen, une première fois pour comportement agressif – non précisé – envers un étudiant, et la deuxième à la suite de ce qu'un témoin oculaire a décrit comme une « réaction explosive » à propos d'un périodique égaré, la scène ayant eu lieu dans la bibliothèque de l'université.

Professeur de mathématiques originaire de Pologne, M. Wajda a émigré aux États-Unis en 1983 dans le but d'intégrer l'université de Boston, où il a obtenu plusieurs prix académiques dans son domaine d'études. Plus récemment, il est apparu dans l'émission « Personnalités à suivre » présentée par NOVA sur la chaîne PBS. Le documentaire était consacré aux travaux du professeur sur les nombres premiers, notamment sa quête inlassable d'une preuve qui vérifierait ce que beaucoup considèrent comme le Saint-Graal des mathématiques aujourd'hui : l'hypothèse de Riemann…

Je stoppai là ma lecture, me levai et composai le numéro de Sampson en me dirigeant vers la sortie.

— Merci, Strings ! lançai-je à l'analyste.

— Y a pas de quoi. Toujours content de donner un coup de main.

89

— John, où es-tu ?

— Devant ce maudit foyer ! Tu le crois ça ? Ben, pas moi. Notre bonhomme a fait plusieurs fois le tour du pâté de maisons en poussant un caddie, tout ça pour revenir s'inscrire au dortoir, avant même que Siegel et les autres soient partis. J'ai demandé à Donny Burke de venir me remplacer pour la nuit.

— Il faut qu'on fasse sortir cet homme de là.

— Tu as l'air essoufflé... Tu es en train de courir ?

— C'est un professeur de maths, John. Un expert en nombres premiers. Et de l'hypothèse de Riemann.

— QUOI ?

— Eh ouais ! Il s'appelle Stanislaw Wajda, et il a disparu de chez lui depuis un an. Attends-moi, je suis en chemin.

Il était plus rapide de foncer au foyer à pied que d'aller d'abord récupérer ma voiture. J'étais déjà au bas de l'escalier à l'arrière du laboratoire, m'apprêtant à couper par Judiciary Square.

— Bien reçu, fit Sampson. Il sera dehors le temps que tu arrives.

— John, surtout ne...

Mais il avait déjà raccroché. Sampson peut se montrer aussi têtu que moi parfois, la même tête de cochon, raison pour laquelle j'ai du mal à le lui reprocher.

J'accélérai le pas.

De Judiciary Square, je débouchai sur la 4e et contournai le pâté de maisons pour rejoindre la 2e.

Je ne l'avais pas encore atteinte que j'aperçus Sampson qui courait dans ma direction comme s'il venait de l'arrière du foyer.

— Il est parti, Alex ! Son caddie n'est plus là, et il y a une porte de l'autre côté du bâtiment. Et merde, il m'a bien eu ! Il a filé !

Sampson se détourna pour flanquer un coup de pied dans une poubelle au bord du trottoir, faisant voler une pluie de détritus sur la chaussée.

Je le retins par le bras pour l'empêcher de se défouler à nouveau sur la poubelle.

— Attends, John. Une chose à la fois. Nous ne sommes encore sûrs de rien.

— Ne commence pas avec ça. C'est lui. D'abord, je lui ai rendu sa saleté de couteau et ensuite, je l'ai laissé s'échapper.

— Tu n'es pas le seul, John. Nous sommes tous les deux responsables.

Sampson refusait d'entendre. Devinant qu'il allait s'accabler de reproches malgré ce que je lui dirais, je renonçai à le convaincre et passai à l'action.

— Il ne peut pas être loin, affirmai-je. Ce n'est pas comme s'il avait sauté dans un taxi ou un bus. Nous fouillerons le quartier toute la nuit s'il le faut. Je vais lancer immédiatement un avis de recherche. Place d'autres hommes dans les rues. Fais venir demain matin quelqu'un de la brigade de recherche de fugitifs, si nécessaire. Ces types sont de vrais limiers. On va l'avoir.

Sampson acquiesça et, sans ajouter un mot, se mit en route. La chasse était ouverte.

— Comment s'appelle-t-il, déjà ? me demanda-t-il quand j'arrivai à sa hauteur.

— Stanislaw Wajda.

— Stanislaw... ?
— Wajda.
— Laisse tomber. J'apprendrai à le prononcer une fois qu'on aura attrapé ce salaud.

90

Au bout de trois jours, nous n'étions parvenus à rien, les enquêtes restaient bloquées. Pas de Talley. Pas d'Hennessey. Pas de Wajda.

C'est alors que la situation empira.

Vendredi matin, pour la troisième fois ce mois-ci, je reçus à l'aube un appel de Sampson m'informant de la découverte d'un cadavre. Un autre junkie avait été battu à mort, et un même charabia mathématique était gravé sur son front et sur son dos.

Sauf qu'il y avait une différence, et elle changeait tout.

— On a trouvé le chariot de supermarché de Stanislaw près du corps, m'annonça Sampson. Du moins, je suis presque sûr que c'est le sien. Pas facile de les distinguer les uns des autres, tu sais ?

Sa voix était enrouée. Je soupçonnais qu'il avait grappillé à peine quelques heures de sommeil depuis que Wajda s'était volatilisé.

— Alex, ce pauvre gamin ne doit pas avoir plus de dix-huit ans.

— Eh, Sampson, ça va aller ? Tu n'as pas l'air toi-même.

— Je l'espère bien.

— Ce n'est pas ta faute, John. Tu le sais, non ?

Il n'était toujours pas prêt à l'accepter, et il éluda la question.

— Tu n'es pas obligé de venir jusqu'ici, dit-il.

— Mais si bien sûr ! J'arrive.

91

À Farragut Square, la scène me donna une déprimante impression de déjà-vu. Je me demande encore ce qui est pire : le choc que j'éprouve face à l'inédit, ou le poids qui m'accable devant une vision trop familière.

— C'est bien son caddie, me confirma Sampson. Nous venons de trouver ça !

Il me montra une pochette d'indices qui contenait une carte de visite souillée – la mienne. Cela me fit l'effet d'un coup sur le crâne. Quel beau gâchis…

— Il y a des éclaboussures de sang sur le châssis, et un marteau au manche scié, au fond du chariot. On présume que c'est l'arme du meurtre.

— J'ai beaucoup réfléchi à tout ça, dis-je. Il existe un long passage souterrain près du foyer Lindholm. Des vagabonds y dorment tout le temps. C'est peut-être son terrain de chasse, il y choisit ses victimes.

— C'est possible, admit Sampson. Mais alors, pourquoi les transporter jusqu'à cette rue dans son chariot ? Je n'y comprends rien. Pourquoi K Street ?

Sans compter Anjali Patel, dont le meurtre par Kyle Craig n'était qu'une imitation des autres, les trois victimes dans cette affaire avaient été laissées en bordure de K Street, chacune près d'une intersection avec une rue portant comme numéro un nombre premier : 23, 13 et, à présent, 17. Si ce schéma n'avait pas été facile à voir avec deux cas, avec trois il sautait aux yeux. Je pensais bien que la lettre *K* devait représenter quelque chose de précis en mathématiques, mais je n'avais aucune certitude.

Je formulai ma conclusion à voix haute :

— Quelle importance, au fond ? Cet homme est un dément, John. C'est ça, la constante. Nous n'irons pas très loin en nous obstinant à chercher un mobile.

— Ou à le chercher, lui, répliqua Sampson en désignant du pouce le chariot. S'il a abandonné son matériel, c'est le signe qu'il y a eu un changement dans son plan. Je ne sais pas lequel, mais en tout cas j'ai le pressentiment que nous ne reverrons pas ce type. Je crois qu'il a disparu pour de bon.

92

Stanislaw Wajda s'éveilla, clignant des yeux. Il eut d'abord du mal à distinguer ce qui l'entourait, un clair-obscur de formes vagues emplissait son champ de vision. Puis, peu à peu, chaque élément se dessina séparément. Un mur, des parpaings, une vieille chaudière sur un sol en ciment craquelé.

Son dernier souvenir remontait au parc. *Oui.* Le garçon. Était-ce la nuit dernière ?

— Bonjour ! fit quelqu'un.

Stanislaw sursauta. Son cœur s'emballa sous le soudain effroi qui le saisissait.

Il y avait un homme. Les cheveux sombres. Des traits vaguement familiers.

— Où suis-je ? demanda Stanislaw.

— À Washington.

— Je veux dire...

— Je sais ce que vous voulez dire.

Il se rendit compte que ses mains n'étaient pas attachées. Ni ses pieds. Pas de chaînes, pas de menottes. Il s'était presque attendu à être ligoté. Baissant les yeux, il constata qu'il était à demi affaissé sur une vieille chaise en bois.

— Ne vous levez pas, lui conseilla l'homme. Vous allez vous sentir encore un peu groggy.

Il avait déjà vu ce visage. Au foyer. *Oui.* En compagnie des deux inspecteurs noirs. *Oui, voilà.*

— Vous êtes de la police ? Ai-je été arrêté ?

L'homme ricana doucement – une bien curieuse réaction, du reste.

— Non, professeur. Puis-je vous appeler Stanislaw ?

La situation avait beau se préciser, elle demeurait absolument incompréhensible.

— Comment connaissez-vous mon nom ? s'étonna-t-il.

— Disons que je suis un admirateur de vos travaux. J'ai assisté à ce que vous avez fait la nuit dernière, à Farragut Square, et je dois vous avouer que cela m'a fasciné. Il est incontestable que cela valait le déplacement.

Wajda eut un haut-le-cœur. Il se sentait au bord de la nausée. Voire près de s'évanouir.

— Oh, Jésus...

— Ne vous inquiétez pas, votre secret est bien gardé avec moi, le rassura l'homme, qui tira une autre chaise et s'assit en face de lui. Expliquez-moi une chose, Stanislaw. Quelle est donc cette histoire de nombres premiers ? Les rapports de police indiquent un lien avec l'hypothèse de Riemann. Est-ce exact ?

Ainsi, il savait. Cet étrange personnage était au courant de tout. Stanislaw sentit des larmes chaudes se former au coin de ses yeux.

— Oui, confirma-t-il. Riemann, oui.

— Mais encore, précisément ? Éclairez-moi, professeur. Je meurs d'envie d'en apprendre plus.

Il y avait bien longtemps que Stanislaw n'avait pas vu briller la curiosité dans le regard d'une personne jeune. Cela faisait des années. Dans une autre vie...

— Les zéros de la fonction zêta de Riemann, comme vous le savez, se situent dans la bande critique, avec une partie réelle comprise entre zéro et un, si la fonction zêta est égale à zéro...

— Non, le coupa l'autre. Écoutez-moi attentivement. Pourquoi tuer pour ça ? Qu'est-ce que cela signifie pour vous ?

— Mais tout ! Comprendre cette conjecture, c'est saisir l'infini, voyez-vous ? Concevoir une structure si vaste qu'elle transcende la notion de grandeur ou même de limite...

L'homme l'interrompit d'une gifle brutale.

— Je ne veux pas de l'un de vos stupides cours magistraux, professeur. Ce qui m'intéresse, c'est de savoir pourquoi vous tuez ces garçons de cette manière. Bien, allez-vous répondre à cette question, oui ou non ? Vous êtes intelligent, cela devrait être simple pour vous.

Stanislaw prit brusquement conscience qu'il était à même de répondre. *Oui, oui*. On l'avait déchargé des conséquences. Désormais, il n'y avait de place que pour la vérité.

— Pour ces garçons, la mort est préférable, déclara-t-il. Ce monde ne leur apporte que misère et souffrance, comprenez-vous ? Ne voyez-vous pas ?

— Oh, si, je vois.

— Ils sont tombés si bas que Dieu ne les atteint plus, mais moi je peux encore les aider, leur donner cela, l'infini. Il m'est possible de les rendre à Dieu. Vous comprenez ?

— Je crois, oui, acquiesça son interlocuteur en se levant. C'est très décevant. Nous aurions peut-être... (Il se tut et sourit.) Mais peu importe ce qui aurait pu être. Merci, professeur. Ce fut fort instructif.

— Non, protesta Stanislaw. Merci à vous.

Et là, il aperçut le pic à glace, suivit des yeux l'arme que l'homme brandissait de plus en plus haut sur le côté, jusqu'à ce qu'elle ne soit plus qu'une ombre découpée dans la lumière d'une ampoule nue suspendue au plafond. Stanislaw releva alors le menton au maximum, offrant son corps aussi généreusement que possible, de sorte que l'autre ne puisse en aucun cas manquer son coup.

93

Je suis tellement accoutumé à ce que mon téléphone sonne à toute heure du jour et de la nuit que j'étendis le bras vers la table de chevet avant de me rendre compte que la sonnerie provenait de celui de Bree et non du mien. L'horloge près du lit affichait 4 h 21. *Oh, Dieu tout-puissant, quoi encore ?*

— Ici Stone, l'entendis-je répondre dans l'obscurité. Qui est à l'appareil ?

Elle se redressa immédiatement. Puis elle alluma la lampe de chevet, et le combiné pressé contre sa poitrine, chuchota à voix si basse que je dus presque lire sur ses lèvres ce qu'elle me disait.

— C'est Kyle Craig !

Moi aussi j'étais en position assise, maintenant. Je saisis le téléphone tandis que Kyle continuait à parler à l'autre bout de la ligne.

— Bree, mon ange ? Vous êtes toujours là ?

S'il s'était trouvé devant moi, je crois en toute honnêteté que j'aurais été capable de le tuer sans la moindre hésitation. Cependant, je fis de mon mieux pour garder la tête froide, et je repris le contrôle de mes émotions.

— Kyle, ici Alex. Ne compose plus jamais ce numéro, dis-je, avant de raccrocher.

Bree en resta littéralement bouche bée.

— Qu'est-ce qui t'a pris ? s'étonna-t-elle. Pourquoi as-tu fait ça ?

— J'ai marqué ma limite. Cela ne m'avance en rien de le laisser imposer ses règles.

— Penses-tu qu'il va rappeler ?

— Eh bien, s'il s'abstient, on en profitera pour dormir un peu plus, répliquai-je.

Un changement s'était fait en moi. Je n'allais pas continuer ce petit jeu indéfiniment. Je ne le supportais plus.

De toute façon, mon téléphone sonna quelques secondes plus tard.

— Quoi encore ? aboyai-je.

— Bree n'a pas répondu à ma question, fit Kyle. À propos des préparatifs du mariage. Je me suis dit que cela relevait davantage de son domaine que du tien.

— Non, tu voulais juste que nous nous sentions encore plus menacés.

Son rire aurait pu passer pour cordial.

— Ai-je réussi ?

— Je vais raccrocher, Kyle.

— Attends ! Il y a autre chose. Je n'appellerais pas si tôt si ce n'était pas important.

Je ne lui demandai pas de quoi il s'agissait. J'étais d'ailleurs sur le point de raccrocher quand il reprit :

— J'ai un cadeau de fiançailles pour toi. Enfin, en quelque sorte. Puisque je te laisse si gentiment te marier, je t'offre un petit quelque chose qui allégera ton emploi du temps et te permettra de t'occuper de ta mignonne future épouse.

Mon cœur se serra à ces mots. Il fallait que je sache.

— Kyle ? Qu'est-ce que tu as fait ?

— Voyons, si je te le disais, cela gâcherait l'effet de surprise, non ? railla-t-il. Le croisement de la 29e et de K, à l'angle nord-est. Et tu ferais bien de te dépêcher…

94

Au lever du jour, nous avions une concentration de forces de l'ordre à l'adresse fournie par Kyle. Je le croyais capable de tout, ou peu s'en faut, et si je commettais peut-être une erreur en venant en personne au lieu et à l'heure indiqués, je n'avais pourtant pas le droit d'ignorer cet appel téléphonique. Nous prenions donc toutes les précautions possibles.

Le croisement de la 29e et de K Street se situe à la lisière de Rock Creek Park. Sur le pont de l'autoroute Whitehurst, qui passe au-dessus, nous avions posté des agents de police armés de pistolets-mitrailleurs MP5, tandis qu'une barrière de fourgons blindés du SWAT – groupe d'intervention – se serrait contre le trottoir à l'angle des deux rues, de façon à bloquer le maximum de lignes de visée.

Notre centre névralgique de l'opération était installé dans un coffee-shop de K Street, où le commandant de l'unité du SWAT, Tom Ogilvy, restait en contact radio avec ses hommes. Sampson et moi suivions les échanges à l'aide d'écouteurs.

Des ambulances se tenaient prêtes à côté des voitures de patrouilles barrant la rue sur une centaine de mètres dans chaque direction. Tout le monde était équipé de gilets pare-balles et de casques de protection.

Je m'interrogeai sur la réelle utilité de ce déploiement. Kyle se trouvait-il sur place, à nous observer ? Était-il armé ? Gardait-il une surprise en réserve ? Peut-être rien de tout cela. Selon moi, c'était précisément ce qu'il voulait : me forcer à me débattre avec ces questions.

En tout cas, il ne fallut pas longtemps à la première équipe d'intervention pour trouver quelque chose. Moins de cinq minutes après leur entrée furtive dans le parc depuis la 29e, leur chef communiqua par radio :

— On a un corps, ici. Homme blanc, entre deux âges. Ça pourrait être un sans-abri.

— Avancez avec prudence, lui ordonna Ogilvy. Je veux une reconnaissance visuelle complète des alentours du corps avant que quiconque s'en approche. Équipe B, restez en état d'alerte maximale.

Trois minutes de silence s'écoulèrent jusqu'à ce que nous parvienne le « rien à signaler » – pour ce qu'il valait. Alors que j'ouvrais la porte du coffee-shop, Sampson me retint par le bras.

— Laisse-moi m'en charger, Alex. Si Kyle est là, il a dû te tendre un piège.

— Pas question. De plus, si jamais il s'en prend à moi, ce sera face à face, pas à distance.

— Ah oui, et tu crois savoir tout ce qu'il y a dans la tête de ce psychopathe ?

— Je suis au moins certain de ça, répliquai-je en sortant.

Nous étions encore assez loin du corps mais je reconnaissais déjà la parka crasseuse de Stanislaw Wajda. Comme il l'avait fait avec ses propres victimes, on l'avait enfoncé dans un fourré, étendu sur le flanc.

En revanche, aucune inscription n'était gravée sur sa peau. Il ne présentait qu'une seule blessure, une perforation de la gorge semblable à celle que nous avions constatée sur Anjali Patel.

Son cou était couvert d'une épaisse couche de sang séché qui descendait sous sa chemise. Cela indiquait qu'il se tenait très certainement en position assise lorsqu'il avait été poignardé, et en toute probabilité jusqu'à son dernier souffle.

Grâce à ses empreintes relevées sur le caddie de supermarché et le marteau abandonnés à Farragut Square, il ne faisait plus aucun doute que Wajda était bien notre tueur aux nombres. Pourtant, en dépit des crimes qu'il avait pu commettre de son vivant, j'éprouvai à cet instant une bouffée de pitié pour lui.

— Qu'est-ce que c'est ? fit Sampson.

Il montrait la main de Wajda, d'où dépassait quelque chose. J'enfilai des gants et m'accroupis pour récupérer ce que retenaient les doigts serrés.

Il s'agissait d'une petite carte de vœux, du genre qui accompagne un bouquet de fleurs que l'on fait livrer. Sur celle-ci figurait l'image d'une pièce montée, au sommet de laquelle trônait un couple de mariés afro-américains.

— C'est mon cadeau de fiançailles, déclarai-je, pris d'une légère nausée.

J'ouvris la carte ouverte et reconnus instantanément l'écriture nette, toute en majuscules, de Kyle.

POUR ALEX :
AVEC MES COMPLIMENTS
— K. C.

95

Après cinq jours passés avec Mitch au fin fond de la Virginie-Occidentale à se faire oublier, Denny reçut l'appel qu'il attendait. Il leur fallut encore plusieurs journées de reconnaissance du terrain à Washington avant d'être prêts à l'action. Il n'y en aurait plus pour longtemps désormais, juste un peu de patience et Denny serait un homme libre. Libre et très, très riche.

Derrière lui, la porte se rabattit bruyamment sur le côté, alors qu'ils émergeaient sur le toit du National Building Museum.

Il se retourna, et Mitch fit un geste d'excuse.

— Désolé !

— Ferme cette saleté de porte et amène-toi, rétorqua Denny, plus rudement qu'il n'en avait eu l'intention.

D'autant que le bruit n'avait finalement que peu d'importance. Le musée était fermé pour la nuit et la menace la plus proche se trouvait au rez-de-chaussée en la personne du mollasson d'une vingtaine d'années qui, assis derrière son bureau de vigile, regardait des films d'horreur sur son ordinateur portable. Mais Denny était à cran après un trop grand nombre de nuits à dormir collé à Mitch dans le vieux Subaru, de journées à vivre de conserves et à écouter l'autre jacasser sans cesse à propos de la « mission ».

Il se ressaisit et se dirigea vers l'angle sud-ouest du toit pour observer la rue.

Dans F Street, la circulation était fluide pour un vendredi. Un léger vent soufflait et quelques averses étaient prévues pour plus tard, mais pour l'instant le calme régnait. D'ici quinze à vingt minutes, les premières limousines commenceraient à se garer devant le Sidney Harman Hall – « Harman » tout court pour les habitants de Washington.

Pendant que Denny déroulait la bâche, Mitch s'était approché et patientait en silence derrière lui ; puis il étala les pièces de son équipement et entreprit d'assembler le M110.

— T'es fâché contre moi, ou quoi ? finit-il par dire. On a un problème, tous les deux ?

— Mais non, mec, le rassura immédiatement Denny.

Il n'y avait aucune raison de le rendre nerveux. En particulier ce soir.

— Tu t'en sors comme un chef. J'ai juste envie que ça soit fait, tu vois ? Je suis un peu trop impatient. Désolé.

Mitch parut se satisfaire de l'explication. Avec un bref hochement de tête, il se remit au travail. Il déplia le bipied, appuya le M110 sur le rebord du toit et colla son œil à la lunette. Une fois la crosse du fusil bien calée contre sa joue, il pourrait ajuster sa visée.

— Ce soir, on travaille comme au stand de tir, déclara Denny, sur un ton à présent agréable et léger. Les voitures vont s'arrêter tout le long de la rue.

Mitch balaya plusieurs fois la rue de gauche à droite avec le canon du fusil, afin de jauger l'espace sur le trottoir devant le théâtre.

— Tu as bien dit que ces deux pourritures étaient des juges ?

— Absolument, confirma Denny. Deux des enfoirés les plus puissants du pays.

— Qu'est-ce qu'ils ont fait ?

— Tu sais ce que c'est qu'un juge activiste ?

— Pas vraiment. C'est quoi au juste ?

— Bon, disons seulement que notre bonne vieille Amérique se porte mieux sans eux, éluda Denny. Je les repère et tu les descends, Mitchie, mais il faudra faire vite. Tu dois être prêt, O.K. ? Un, deux… et on dégage d'ici.

Mitch se tenait dans sa position habituelle, mais les coins de sa bouche se relevèrent légèrement, rappelant ce petit sourire confiant que Denny ne lui avait pas vu depuis un moment.

— Ne t'inquiète pas, Denny. Je ne raterai pas mon coup.

96

À 19 h 30, F Street n'était qu'une longue file d'automobiles noires.

L'évènement de la soirée s'intitulait *Will on the Hill*, un spectacle de charité annuel destiné à récolter des fonds au bénéfice de l'enseignement artistique. Deux douzaines de personnalités influentes de la colline du Capitole s'étaient entraînées à jouer une version parodique de *La Nuit des rois*, de Shakespeare, devant un public composé de leurs pairs : membres du Congrès, représentants et sénateurs confondus, fonctionnaires du Capitole, et probablement la moitié des lobbyistes de K Street.

Denny observait la rue à travers sa lunette de repérage.

— Ce soir, les renards ne vont pas manquer dans le poulailler, j'ai pas raison ?

— Je suppose, marmonna Mitch, qui continuait à examiner la foule. Je croyais qu'il y aurait un tas de célébrités. Je ne reconnais personne en bas.

— Ouais, mais toi aussi tu es célèbre aujourd'hui, et pourtant personne ne sait à quoi tu ressembles.

— Bien vu, approuva Mitch avec un sourire en coin.

Rahm Emanuel et sa femme arrivaient à l'instant. Le chef du parti minoritaire à la Chambre des représentants et le président par intérim du Sénat s'étaient montrés ensemble une minute plus tôt, prenant la pose pour une séance photo plus que nécessaire en cette période de débats parlementaires houleux.

Chaque personne sortait de sa voiture devant le Harman, franchissait le trottoir en brique rouge, environ six pas, jusqu'à se trouver sous le mur de verre en porte-à-faux surplombant l'entrée principale du théâtre. Il n'y aurait pas la moindre marge d'erreur le moment venu.

Enfin, à 19 h 50, Denny repéra ceux qu'ils cherchaient. Une petite limousine Mercedes s'arrêta au bord du trottoir.

Le chauffeur en descendit pour ouvrir la portière arrière, et Mme le juge Cornelia Summers apparut.

— On y est, Mitch. À 10 heures. Robe longue bleue, qui sort de la Mercedes.

Le juge Ponti, de la Cour suprême lui aussi, émergea de la voiture à la suite de la femme. Ils s'immobilisèrent le temps de saluer gauchement de la main les représentants de la presse et les badauds massés sur le trottoir derrière le cordon de police. Même à cette distance, Denny remarqua que ces deux-là ne semblaient pas être dans leur élément.

— Le numéro deux est en smoking, avec des cheveux gris.

Mitch avait déjà ajusté sa position.

— J'y suis.

— Prêt à tirer ?

Summers prit le bras de Ponti ; ils s'apprêtaient à entrer dans le hall, à quelques pas de là.

— Prêt, répondit Mitch.

— Envoie.

Le M110 émit un son net, caractéristique, tandis que la balle traversait le cache-flamme à plus de neuf cents mètres par seconde. Presque simultanément, Cornelia Summers s'effondra sur le sol, un point rouge fleurissant au-dessus de son oreille gauche.

Le juge Ponti avait trébuché lorsque sa compagne fut arrachée à son bras, et le second coup le manqua. Une porte en verre à trois mètres de sa tête explosa en mille morceaux.

— Recommence ! ordonna Denny. Maintenant.

Le juge de la Cour suprême était retourné à la limousine, il avait déjà une main sur la poignée de la portière.

— Vas-y, Mitchie.

— Je l'ai.

Il y eut un autre son net.

Cette fois, Ponti fut bel et bien abattu, et devant le Harman, la rue entière plongea dans un chaos indescriptible.

97

Denny observait la rue pendant que Mitch démontait. La pluie persistante qui s'était mise à tomber ne stoppa en rien la débandade générale de centaines de gens en tenue de soirée élégante, qui s'éparpillaient dans la rue tels des cafards.

— Qu'est-ce qu'on attend, Denny ?

Mitch avait déjà rangé la lunette, la crosse et le chargeur du fusil. Denny lui fit signe d'approcher.

— Viens par là, il faut que tu voies ça. C'est incroyable ce que tu as fait.

Le jeune homme semblait partagé, mais quand Denny l'encouragea à nouveau d'un geste, il posa son sac et s'avança avec précaution vers le rebord, les genoux pliés. Puis il contempla son travail.

Le Harman ressemblait à un asile d'aliénés à la façade de verre. Les gyrophares de la police clignotaient dans la rue et les seules personnes immobiles étaient celles qui étaient étendues sur le trottoir.

— Tu sais comment on appelle ça ? lança Denny. Mission accomplie. Ça n'aurait pas pu mieux se dérouler.

Mitch secoua la tête.

— J'ai foiré mon coup. Le deuxième tir…

— N'a aucune importance, maintenant. Profite une minute de ce bordel, fais-toi plaisir. Je vais nous préparer à partir.

Il s'écarta et resserra les attaches du sac de Mitch pendant que celui-ci regardait en bas, transformé en statue.

— Pas mal pour une seule soirée de boulot, hein, Mitchie ?

— Ouais, répondit l'autre à mi-voix, davantage pour lui-même. C'est carrément génial, en fait.

— Et c'est qui les héros de l'histoire, mon frère ?

— C'est nous.

— Parfaitement. Des héros américains en chair et en os. Personne ne t'enlèvera jamais ça, quoi qu'il arrive. Compris ?

Cette fois, Mitch se contenta de hocher la tête en silence. Comme si, après en avoir eu un aperçu, il ne pouvait détacher ses yeux du spectacle.

La seconde suivante, il était mort... Une balle dans le crâne.

Tout s'était passé si vite que le pauvre gars n'avait probablement même pas entendu le coup partir du Walther muni d'un silencieux de Denny. Tant mieux. Ce boulot était parfois sacrément dégueulasse; le moins qu'il pouvait faire pour son équipier, c'était de l'exécuter vite et bien.

— Désolé, mon pote. Je n'avais pas le choix.

Il ramassa le sac de Mitch, laissa sur place le reste du matériel, et se dirigea vers l'escalier sans un regard pour la troisième victime de la soirée.

98

Je travaillais à mon bureau, dans le Daly Building, quand fut communiquée la nouvelle du terrible accident; aussi, j'arrivai cette fois sur la scène quelques instants seulement après la fusillade. Faisant de mon mieux pour ne pas me laisser distraire par la confusion qui régnait dans la rue, ni me préoccuper des victimes elles-mêmes, du moins pour le moment, je me concentrai sur ce qui était le plus important à découvrir dans l'immédiat.

D'où provenaient les tirs ? Les tueurs auraient-ils enfin fait une erreur ?

Un sergent du MPD en faction sur le trottoir me fournit un rapport provisoire selon lequel Cornelia Summers avait été abattue en premier et qu'elle se tenait à la gauche de Ponti alors qu'ils s'apprêtaient à entrer dans le théâtre. Deux juges de la Cour suprême… Cela paraissait incroyable, même devant la réalité des faits !

J'observai F Street, sur ma gauche. De l'autre côté de la rue, le Jackson Graham Building était une possibilité mais, à la place du tireur, j'aurais choisi le pâté de maisons suivant occupé par le National Building Museum, situé à bonne distance de la scène et dont le toit en partie plat offrait de nombreux points d'embuscade.

— Donnez-moi trois agents en uniforme, dis-je au sergent. Immédiatement. Je vais voir ce bâtiment, le National.

Quelques minutes plus tard, nous avions dévalé la rue et martelions à coups de poing les portes du musée. Un agent de la sécurité, l'air très inquiet, arriva en courant pour nous ouvrir. L'établissement était sous la juridiction de la Sécurité intérieure, mais l'on m'avait prévenu qu'il leur faudrait une bonne demi-heure pour avoir une équipe sur place.

— Nous devons aller sur le toit, expliquai-je au vigile, nommé David Hale d'après son badge. Quel est le moyen le plus rapide pour y accéder ?

Je donnai l'ordre à l'un des agents de police de rester là pour demander par radio qu'on bloque toutes les issues du bâtiment, et je suivis Hale accompagné des deux autres dans le hall central du musée, un immense espace ouvert avec des colonnes corinthiennes qui s'élevaient sur plusieurs étages jusqu'au plafond ; c'était là-haut qu'il nous fallait nous rendre.

Hale nous mena à une sortie de secours, à l'extrémité du hall.

— Il suffit de monter, dit-il.

Nous le laissâmes en bas et prîmes l'escalier en formation sommaire, gravissant quatre marches à la fois, lampe torche allumée et arme au poing.

Le dernier palier aboutissait à une porte coupe-feu. Celle-ci aurait dû être connectée à une alarme mais le boîtier métallique était par terre, arraché, et le mécanisme ne tenait plus que par deux fils.

Mon cœur battait déjà à grands coups après la montée au pas de course. Il accéléra d'un cran : nous étions au bon endroit.

En ouvrant la porte, je découvris une étendue de toit déserte, derrière laquelle se profilait le haut de l'immeuble de la Cour des comptes, situé sur G Street. Malgré la pluie qui tombait dru, on entendait les sirènes et les cris en provenance du Harman.

Je fis signe à un agent d'aller à droite et à l'autre de me suivre en direction du bruit de la rue.

Nous approchions de l'angle sud-ouest quand une rangée de lanterneaux nous bloqua la vue.

À côté de la plus éloignée, je distinguai une forme – du matériel en tas ou peut-être simplement un sac-poubelle – et la désignai à l'agent qui m'accompagnait, dont je ne connaissais même pas le nom.

Lampes éteintes, nous avançâmes avec précaution, restant courbés par prudence.

Une fois assez près de l'angle, j'y constatai la présence d'un homme. À genoux, tourné vers le Harman, il ne bougeait pas.

Je brandis mon Glock.

— Police ! Pas un geste !

Je visais les jambes de l'homme, mais cela se révéla inutile. Dès que l'agent braqua sur lui le faisceau de sa lampe torche, on vit nettement le trou sombre à l'arrière de la tête, l'orifice lavé par la pluie. Le corps était coincé dans l'encoignure du garde-fou en pierre qui courait tout le long du toit et le maintenait dans sa position agenouillée.

Un seul regard me suffit à reconnaître le visage de Mitch Talley. Sous le coup de la surprise, je vacillai sur mes jambes. Alors ça, c'était trop fort, vraiment ! Mitch Talley était mort ? Pourquoi ?

L'agent se pencha pour mieux voir.

— Nom d'un chien. Qu'est-ce que c'est, du neuf millimètres ?

— Donnez l'alerte. Lancez un avis de recherche pour Steven Hennessey, alias Denny Humboldt. Il ne peut pas être allé loin. Je préviens le QG. Il faut boucler le quartier, et tout de suite. Chaque seconde compte.

À moins que mon instinct ne me trompe complètement, Hennessey venait de dissoudre l'équipe des snipers patriotes pour une raison connue de lui seul.

À sa place, je serais en train de fuir le plus vite possible. J'aurais déjà quitté Washington et je ne me retournerais pas.

Sauf que, bien sûr, je n'étais pas Hennessey.

99

Denny roula au hasard des heures durant. Il resta au nord de la ville, dans le Maryland, et fit deux haltes dans des supermarchés différents pour acheter une casquette de base-ball à l'insigne des Washington Nationals, un nécessaire de rasage, une paire de lunettes de lecture à faible correction et de la teinture châtain foncé pour les cheveux. *Cela devrait suffire.*

Après un nouvel arrêt dans les toilettes d'une station-service Sunoco à Chevy Chase, il reprit le chemin de la capitale. Il se gara près de Logan Circle et continua à pied dans Vermont Avenue où l'attendait, deux rues plus loin, l'habituelle Lincoln Town Car noire.

Pour une fois, Zachary eut un sourire spontané quand Denny se glissa sur la banquette arrière.

— Regardez-moi ça ! Prêt à vous fondre dans le décor. Je parie que vous êtes doué pour ça aussi.

— Peu importe, répliqua Denny. Finissons-en, que je puisse me « fondre », comme vous dites.

— Tout semble s'être assez bien passé, à en croire les bulletins d'information.

— C'est exact.

Zachary ne fit pas mine de bouger.

— Personne n'a mentionné de complice, pourtant. Il n'y a rien au sujet de Mitch.

— Le contraire me surprendrait beaucoup. Cross, l'inspecteur chargé de l'enquête, aime cacher son jeu. Mais faites-moi confiance, je me suis occupé de Mitch.

Et je n'ai pas vraiment envie de continuer à parler de lui. Il a fait du bon boulot.

L'intermédiaire dévisagea Denny un instant de plus. Finalement, il tendit le bras par-dessus le siège avant et prit la pochette des mains du chauffeur. Cette fois elle semblait avoir le bon poids, mais Denny ouvrit la fermeture éclair pour s'assurer que le compte y était.

Le dos calé contre le dossier, Zachary avait l'air de se décoincer un peu.

— Dites-moi une chose, Denny. Qu'allez-vous faire avec tout cet argent ? À part vous offrir un nouveau nom, bien entendu.

Denny lui retourna son sourire.

— Eh bien, tout d'abord le mettre à l'abri quelque part. (Il glissa la pochette dans sa veste comme pour illustrer sa déclaration.) Et ensuite, je…

La phrase demeura inachevée. Le Walther fit feu de l'intérieur de sa poche et la balle toucha le chauffeur à l'arrière du crâne. Du sang et de la matière grise éclaboussèrent le pare-brise.

La deuxième balle prit soin de Zachary, l'atteignant à travers ses prétentieuses lunettes à monture d'écaille. Il n'eut même pas le temps de se tourner vers la portière. Tout s'était déroulé en l'espace de quelques secondes ; jamais Denny n'avait éprouvé autant de satisfaction à tirer.

À ceci près, bien sûr, qu'il n'y avait plus de Denny. Ce personnage n'existait plus. Cette sensation aussi était plutôt agréable : laisser tout cela loin derrière lui.

Ce n'était cependant pas le moment de faire la fête. Le silence était à peine retombé dans la voiture qu'il se trouvait déjà sur le trottoir, prêt à reprendre ce qu'il avait toujours réussi le mieux : aller de l'avant.

100

Les vingt-quatre heures qui suivirent les meurtres au Harman virent un déploiement d'activité policière que j'avais rarement connu à Washington. Notre centre de traitement des informations reçut toute la nuit les données en provenance des contrôles routiers ; la brigade des enquêtes prioritaires plaça ses deux unités dans les rues, et la division des narcotiques et des enquêtes spéciales reçut l'ordre de laisser provisoirement de côté les affaires de moindre importance. Et il ne s'agissait là que des mesures prises au sein du MPD. La police du Capitole, l'ATF, et même le Secret Service mirent du monde sur le coup.

Dès le matin, la traque de Steven Hennessey était passée du niveau régional au niveau national, puis international. Le FBI était sur la brèche et le recherchait partout où il en avait les moyens. La CIA s'activait également.

Les implications de ces assassinats avaient commencé à prendre tout leur sens. Les juges Summers et Ponti, qui représentaient officieusement la gauche à la Cour suprême, avaient été les favoris de la moitié du pays et, au fond, « les renards dans le poulailler » pour l'autre moitié.

Au MPD, la séance de briefing en fin de journée ressembla à un défilé de zombies ; personne n'avait beaucoup dormi la veille et il régnait dans l'atmosphère une tension palpable.

Perkins, qui présidait la réunion, entra immédiatement dans le vif du sujet.

— À quoi sommes-nous confrontés ? demanda-t-il sans préambule.

La plupart des dirigeants de la police étaient également présents. Il n'y avait plus un siège de libre et un bon nombre d'agents se tenaient debout le long des murs, se balançant d'un pied sur l'autre.

— J'attends une réponse. De n'importe qui, s'impatienta Perkins.

— La hotline et le site Internet sont pris d'assaut, déclara Gerry Hockney, l'un des commandants de district. On nous contacte de partout, littéralement. Hennessey serait un agent du gouvernement. Il se serait terré dans un entrepôt de stockage dans l'Ohio, il serait en Floride, ou à Toronto…

Perkins lui coupa la parole :

— Rien de crédible ? Je veux savoir ce qu'on a de concret, pas un ramassis de conneries inutiles.

— Il est trop tôt pour le dire, pour s'engager dans quoi que ce soit. Nous sommes inondés d'informations, monsieur.

— En bref, c'est non. Qui d'autre ? Alex ?

Je levai la main depuis ma place.

— Nous attendons un rapport sur l'arme utilisée pour ce double homicide dans Vermont Avenue, la nuit dernière. Deux hommes non identifiés ont été découverts morts dans une voiture, avec de l'argent sur eux mais aucune pièce d'identité. Il est certain qu'il s'agit d'un neuf millimètres. Nous ne savons toutefois pas encore si c'est l'arme avec laquelle Mitch Talley a été abattu.

Un brouhaha excité s'éleva dans la salle, au point qu'il me fallut crier pour regagner l'attention de chacun.

— Et même si c'était le cas, poursuivis-je, tout ce que cela nous indiquerait pour le moment, c'est qu'Hennessey se trouvait en ville entre minuit et 4 heures du matin.

— Ce qui signifie qu'il pourrait être n'importe où à l'heure qu'il est, ajouta Sampson, donnant la conclusion à ma place. Donc, nous devrions en finir avec les bla-bla et retourner sur le terrain.

— Pensez-vous qu'Hennessey travaillait pour ces deux types tués dans la voiture ? me demanda quand même quelqu'un.

— Ce n'est pas sûr. Nous cherchons encore à les identifier. On dirait pourtant qu'il fait le ménage derrière lui. Qu'il ait terminé ou non, c'est une autre question à laquelle nous n'avons pas de réponse.

Un lieutenant assis dans la première rangée insista :

— Vous parlez du ménage ou des assassinats ?

Toutes ces interrogations étaient naturelles, mais elles commençaient à me taper sur le système. J'écartai les mains en haussant les épaules.

— À vous de me le dire.

— Bon, pour résumer, intervint Perkins, près de vingt-quatre heures ont passé et nous en savons moins qu'avant ces derniers meurtres, c'est bien ça ?

Personne ne souhaitait répondre. Un long silence se fit dans la salle.

— En quelque sorte, finis-je par admettre.

101

Deux autres jours s'écoulèrent, d'un calme éprouvant pour les nerfs, sans progrès significatif, ni trace d'Hennessey ou de quiconque susceptible de le connaître. Puis, enfin, il y eut du nouveau au FBI. Max Siegel prit la peine de me téléphoner en personne pour m'en informer.

— Nous avons reçu un tuyau sur notre site Internet. Anonyme, mais qui paraît valable. Un homme qui se fait appeler Frances Moulton correspondrait au signalement d'Hennessey de la tête aux pieds. Il occupe un appartement dans la 12e, sauf que personne ne l'a vu depuis deux mois environ. Et voilà que ce matin, quelqu'un l'a aperçu sortant de chez lui.

— Qui ça ?

— Le fameux « anonyme », répondit Siegel. Toutefois, le gardien de l'immeuble a confirmé l'info. Il n'a pas croisé non plus ledit Moulton depuis un bout de temps, mais il l'a formellement reconnu sur la photographie d'Hennessey que je lui ai apportée.

Soit cela signifiait une avancée considérable, soit j'en avais seulement l'impression étant donné la nullité des résultats auxquels nous étions parvenus jusqu'alors. Il est parfois difficile de faire preuve d'objectivité lorsqu'une affaire piétine.

— Comment comptez-vous procéder ? demandai-je.

Solide ou non, cette piste relevait quand même de Siegel, pas de nous.

— J'ai pensé que nous pourrions, vous et moi, nous mettre en planque là-bas un moment et surveiller ce qui se passe. Si vous êtes d'accord, je suis partant. Vous voyez, je suis capable de changer.

Ce n'était pas la réponse à laquelle je m'attendais, et mon silence parlait de lui-même.

— Ne me cassez pas les couilles, s'énerva Siegel. J'essaie de me montrer réglo.

En effet, il semblait faire de son mieux. Étais-je fou de joie à l'idée de passer les huit prochaines heures ou plus dans une voiture en compagnie de Max Siegel ? Non, pas vraiment, mais j'avais encore moins envie de rester une seule seconde en dehors de cette enquête.

— Bon, d'accord, acceptai-je. Ça marche pour moi. Où dois-je vous retrouver ?

102

J'apportai même du café.

Comme Siegel en avait prévu aussi, nous avions largement assez de caféine pour tenir. Installés dans une Crown Victoria du FBI, nous étions garés côté est de la 12e, entre M et N Street. Le pâté de maisons était étroit et bordé d'arbres, avec plusieurs bâtiments en chantier, mais pas la résidence Midlands, où habitait Frances Moulton ; si nous étions sur la bonne piste, il s'agissait donc du domicile de Steven Hennessey.

L'appartement en question, qui se trouvait au huitième étage, sur les dix que comptait l'immeuble, avait deux grandes fenêtres donnant sur la rue, dont aucune n'était éclairée à notre arrivée. Max et moi nous préparions à une longue attente.

La discussion roula d'abord sur l'enquête, mais une fois le sujet épuisé, l'atmosphère devint un peu pesante, marquée de silences prolongés. Malgré tout, la conversation finit par reprendre, plus détendue. Siegel me tendit une perche avec le genre de questions que posent les fédéraux lorsqu'ils n'ont rien de mieux à dire.

— Alors, pourquoi êtes-vous entré dans la police ? Si ça ne vous ennuie pas que je vous le demande.

Je souris, la tête baissée. Dans le style copain-copain, il en faisait peut-être un peu trop.

— Je n'ai pas percé à Hollywood. Ni en NBA, répondis-je, pince-sans-rire. Et vous, pourquoi le FBI ?

— Oh, vous savez. Les voyages exotiques, les horaires pépères.

Pour une fois, il réussit à me faire rire. Avant de venir, j'avais décidé que je n'allais pas rester assis là toute la nuit à le détester. Ce serait m'infliger une torture inutile.

— Je vais vous avouer une chose, déclara-t-il. Dans une autre vie, je crois que j'aurais aussi été doué dans le rôle du méchant.

— Laissez-moi deviner. Vous avez le meurtre parfait dans un coin de votre tête.

— Pas vous ? fit-il.

— Je passe. (J'ôtai le couvercle de mon deuxième gobelet de café.) Mais la plupart des flics le conçoivent, oui. Au moins le délit parfait.

Après s'être tu un long moment, il reprit :

— Voyons ça autrement. Si vous aviez l'occasion de descendre quelqu'un, une personne qui mérite vraiment la mort, en sachant que vous pourriez le faire en toute impunité, seriez-vous tenté ?

— Non. C'est une pente trop glissante pour moi. J'y ai déjà réfléchi.

— Allons ! s'exclama Siegel avec un rire, s'adossant contre la portière pour me regarder en face. Imaginons que vous êtes seul avec Kyle Craig dans un passage sombre. Aucun témoin. Il n'a plus de munitions et votre Glock est chargé. Vous osez me dire que vous ne tirez pas d'abord et discutez ensuite ?

Si l'allusion à Kyle me parut un peu bizarre, je ne la relevai pourtant pas.

— C'est exact. Je pourrais en avoir envie, mais je ne le ferais pas. Je l'arrêterais et le ramènerais en prison, dans le Colorado.

Il me dévisagea avec un sourire en coin, comme s'il attendait que je craque.

— Sérieusement ? insista-t-il.

— Sérieusement.

— Je me demande si je dois vous croire.

— Que voulez-vous que je vous dise ? répliquai-je avec un geste vague.

— Que vous êtes un être humain. Voyons, Alex ! On ne peut pas s'en sortir dans ce boulot sans s'aventurer au moins une fois du côté obscur.

— Tout à fait. Je suis passé par là. Je soutiens simplement que je ne presserais pas la détente.

Je n'aurais pas juré que c'était la vérité. En tout cas, je ne souhaitais pas approfondir le sujet avec Siegel.

— Intéressant, murmura-t-il, avant de se tourner de nouveau vers la porte de la résidence Midlands. Très intéressant.

103

Alex mentait comme un arracheur de dents. Il était convaincant mais il mentait, aucun doute là-dessus. Si l'idée qu'il était assis à côté de Kyle Craig venait à l'effleurer, son Glock serait dégainé en un clin d'œil, avec une cartouche de moins la seconde d'après.

Mais le plan fonctionnait à la perfection : Cross ne devinait rien. Toute crainte de ce côté était depuis longtemps oubliée. La situation n'aurait pas pu être plus savoureuse... Impossible de faire mieux.

Kyle sirota son café avant de poursuivre avec désinvolture :

— C'est bien ça la vraie question, non ?

Curieux... La façon de parler et les intonations de Siegel lui étaient maintenant plus naturelles que les siennes propres.

— Que voulez-vous dire ? s'étonna Cross.

— Je repense à cette histoire de « renards dans le poulailler », les gentils et les méchants qui se retrouvent mélangés. La frontière entre le bien et le mal n'est plus si claire aujourd'hui.

— C'est juste. Davantage pour le FBI que pour la police, cependant.

— Non, je parle en général, précisa Kyle. Le membre du Congrès véreux. Le patron de société, cette ordure cupide incapable de se contenter de ses premiers dix millions. Les cellules terroristes implantées ici, bordel. Quelle est la différence entre eux ? Ils sont tous là, sous notre nez, ils vivent parmi nous. Avant, le monde était blanc et noir, et maintenant on dirait que, si on plisse un peu les yeux, il se fond en un gris uniforme.

Cross le regardait fixement, l'air pensif. Commençait-il enfin à capter ?

— Max, êtes-vous en train de parler d'Hennessey, là ? Ou de vous-même ?

— Oh, oh..., protesta Kyle-Max en menaçant l'autre du doigt. Je n'avais pas remarqué que vous aviez changé de casquette. Très malin, docteur Cross !

Celui-ci éclata alors de rire. Quel changement incroyable ! Kyle s'était débrouillé pour que Cross haïsse Max Siegel, et maintenant, après quelques ajustements, il était bien parti pour faire de l'inspecteur un véritable fan de l'intelligent mais détestable agent fédéral.

Qui sait, à l'allure où la situation évoluait entre eux, Siegel allait peut-être se voir inviter à un dîner ou une sortie en famille. Mais il se produisit à ce moment-là quelque chose que Kyle lui-même n'avait pas prévu.

Une balle traversa le pare-brise.

104

Nous bondîmes en même temps, Siegel et moi, sur le trottoir, accroupis derrière nos portières ouvertes. J'entendis un autre coup de feu frapper la calandre, puis un bruit mat inquiétant alors qu'une balle atteignait la voiture du côté de Siegel.

— Max ?

— Ça va. Pas touché.

— D'où ça vient ?

Mon Glock était sorti, mais je n'avais aucune idée de l'endroit où le pointer. De ma main libre, je composai le 911, le numéro d'appel d'urgence, pendant que je scrutais les immeubles autour de moi.

— De l'un de ces deux-là, affirma Max en désignant du doigt la résidence Midlands et le bâtiment voisin, côté nord.

Je levai de nouveau les yeux vers l'appartement de Hennessey, toujours plongé dans l'obscurité et les fenêtres closes. De toute façon, il préférait les toits. Comme il l'avait déjà prouvé…

— Allô ? Il y a quelqu'un ? dit une voix dans mon téléphone. Ici le 911. Vous m'entendez ?

— Inspecteur Cross à l'appareil, du MPD. Nous avons un tireur en action dans la 12e, nord-ouest, au 1121. J'ai besoin d'assistance immédiatement, toutes les unités disponibles.

Un autre tir fit exploser une jardinière et une fenêtre au deuxième étage de l'immeuble derrière moi. Un cri fusa de l'appartement.

— Police ! hurlai-je à l'intention de quiconque à portée de voix. Tout le monde à terre !

Une demi-douzaine de personnes au moins se trouvaient encore sur le trottoir, se précipitant vers un abri, et il n'y avait aucun moyen d'éviter que d'autres arrivent du carrefour.

— Il faut qu'on fasse quelque chose, on ne peut pas juste rester là. Quelqu'un va se faire tuer, lança Max.

Je me retournai pour le regarder par-dessus les sièges avant.

— S'il se sert d'une lunette et que nous nous déplaçons vite, il ne réussira peut-être pas à nous garder dans sa ligne de mire.

— Pas nous deux ensemble, en tout cas, dit-il farouchement. Prenez Midlands, je me charge de l'immeuble voisin.

C'était s'écarter complètement du protocole que d'agir ainsi. Nous aurions dû attendre l'arrivée des renforts mais, face à un tel potentiel de dommages collatéraux, nous rechignions à perdre davantage de temps.

Sans un mot de plus, Siegel se releva et traversa la rue dans un sprint. Je ne l'aurais pas cru capable d'un tel cran.

Après avoir compté jusqu'à trois pour laisser un intervalle entre nous, je courus à mon tour, gardant la tête baissée. Une fenêtre éclata quelque part dans mon dos ; je le remarquai à peine. À ce moment, j'avais pour seul objectif d'atteindre la porte de la résidence… puis d'aller à la recherche d'Hennessey.

105

Une fois à l'intérieur, je pris l'escalier. Il y avait dix étages à escalader jusqu'au toit, mais j'étais en très bonne forme. Sans compter l'efficacité de l'adrénaline.

Quelques minutes plus tard, j'émergeais sur le toit de l'immeuble. J'eus une étrange impression de déjà-vu, un rappel précis de l'autre nuit au Museum.

Je pointai mon Glock à gauche puis à droite : rien. Personne non plus derrière la porte.

L'accès à l'extérieur se faisait par un local de maintenance, dont les murs me bloquaient la vue de la partie du toit donnant sur la 12e. C'était de là qu'Hennessey avait dû tirer, s'il se trouvait dans cet immeuble.

Au loin retentissaient des sirènes ; avec un peu de chance, les renforts arrivaient.

Le dos plaqué au mur, je contournai lentement le local, mon pistolet pointé en avant.

Bien qu'à peine éclairé, ce côté du toit me parut vide, à l'exception de deux chaises pliantes de jardin et d'un baril en métal couché sur le côté.

Aucun signe d'Hennessey.

Je m'approchai du bord et regardai en bas. Le calme régnait dans la rue. Hormis la voiture du FBI avec ses portières ouvertes et une couche de verre brisé par terre, rien n'indiquait ce qui venait de se passer.

Il y avait même quelques passants sur le trottoir, inconscients des dégâts.

Alors que je me penchais pour mieux voir, mon pied heurta quelque chose qui tinta dans un petit bruit métallique. Je sortis ma lampe torche pour éclairer le sol.

Des douilles. Plusieurs.

Mon pouls s'affola et je me retournai… droit sur le canon d'un Walther neuf millimètres.

L'homme dont le doigt était placé sur la détente, vraisemblablement Hennessey, tenait le pistolet à quelques centimètres à peine de mon front.

— Pas un geste, ordonna-t-il. Ne bougez pas un seul muscle. Je ne vous louperai pas à cette distance.

106

Il avait plutôt bien réussi à modifier son apparence : lunettes, cheveux plus foncés, rasé de près. Suffisamment, en tout cas, pour lui permettre de circuler en ville.

Probablement assez aussi pour partir d'ici sans être reconnu, comme je venais de le comprendre. Son plan devenait parfaitement clair.

— Hennessey ?

— Ça dépend pour qui.

— C'est vous qui avez fourni ce tuyau anonyme au FBI, n'est-ce pas ?

Il nous avait tendu un piège, j'en étais persuadé, et nous lui avions offert exactement ce qu'il voulait : une surveillance discrète par ceux qui connaissaient le mieux son dossier. Je ne savais pourtant toujours pas s'il avait tenté de nous tuer dans la voiture ou cherché à nous attirer jusqu'à lui.

— Et regardez le beau poisson que j'ai ferré ! railla-t-il. À présent, vous allez tendre le bras en arrière très lentement et laisser tomber votre Glock par-dessus le rebord.

Je refusai d'un signe de tête.

— Je vais le lancer sur le toit, un peu plus loin. Je ne peux pas jeter ce pistolet dans la rue.

— Mais bien sûr que si.

Le canon du Walther était froid quand il le pressa contre mon front. Il s'était certainement servi d'une arme plus puissante lorsqu'il nous avait pris pour cibles quelques minutes plus tôt.

J'étendis le bras et lâchai le Glock. Mon ventre se serra d'angoisse quand je l'entendis s'écraser sur le sol en bas.

Hennessey recula alors d'un pas, hors de ma portée.

— Pour vous dire la vérité, je voulais initialement juste vous tuer, afin d'être débarrassé de vous, déclara-t-il. Mais maintenant que vous êtes là, je vous donne trente secondes pour me dire ce que vous avez comme renseignements sur moi. Et je ne parle pas de ce qu'on peut déjà lire dans les journaux.

— Oui, je m'en doute bien. Il vous faut savoir jusqu'où vous devez aller pour réussir à disparaître de nouveau.

— Plus que vingt secondes. Peut-être même que je vous laisserai vivre. Allez, parlez !

— Vous vous appelez Steven Hennessey, alias Frances Moulton, alias Denny Humboldt. Vous avez servi dans les forces spéciales de l'armée des États-Unis jusqu'en 2002, et votre dernière affectation était en Afghanistan. Il y a une tombe dans le Kentucky avec votre nom gravé dessus, et je présume que depuis vous avez continué en free-lance, clandestinement.

— Et les fédéraux ? Où me recherchent-ils en dehors d'ici ?

— Partout, affirmai-je.

Il ajusta sa prise sur son arme et serra les coudes.

— Je sais qui vous êtes, moi aussi, Cross. Vous habitez dans la 5e. Rien ne m'empêche d'aller y faire un tour ce soir. C'est compris ?

— Je ne vous raconte pas d'histoires, rétorquai-je, submergé par une vague de colère. Nous n'avons eu que des fausses pistes, ou presque. Pourquoi croyez-vous que nous sommes venus sans renforts ici ?

— En effet, pour l'instant, convint-il. (Le bruit des sirènes se rapprochait pourtant.) Bon, quoi d'autre ? Continuez, vous êtes toujours en vie.

— Vous avez tué votre équipier, Mitch.

— Ce n'est pas ça qui m'intéresse. Donnez-moi des infos qui me soient utiles. Profitez de cette dernière chance, sinon vous ne serez pas le seul Cross à mourir, ce soir.

— Pour l'amour de Dieu, si j'en savais plus, je vous le dirais !

La première voiture de patrouille remontait la rue, sirène hurlante.

— Je crois que votre temps est écoulé, déclara le tueur.

Un coup de feu retentit... Je tressaillis, avant de me rendre compte que ce n'était pas Hennessey qui avait tiré. Ses yeux étaient écarquillés de surprise ; un filet de sang coula jusqu'à sa lèvre supérieure, et il s'écroula soudain devant moi à la façon d'une marionnette dont on aurait lâché les fils.

— Alex ?

Je regardai sur la droite. Max Siegel se tenait sur le toit de l'immeuble voisin, éclairé par le pinceau de lumière qui venait de la cage d'escalier derrière lui. Son Beretta était toujours levé et pointé dans ma direction, mais il l'abaissa quand je me tournai vers lui.

— Ça va ? cria-t-il.

Je mis un pied sur le poignet d'Hennessey et détachai le Walther de sa main. Aucun pouls ne battait dans sa gorge, ses yeux grands ouverts étaient vides d'expression : il était mort. En l'abattant, Max Siegel venait de me sauver la vie.

Lorsque je me relevai, la rue se remplissait déjà.

Derrière les sirènes, j'entendais des claquements de portières et le braillement des radios de police. La rue avait beau être sécurisée, il me fallait descendre récupérer mon Glock.

Le regard de Siegel s'attarda dans mon dos tandis que je me dirigeais vers la porte menant à l'escalier. Je lui devais ne serait-ce qu'un remerciement, mais le vacarme de la rue aurait étouffé mes paroles, aussi me bornai-je pour l'heure à lever le pouce.

Impeccable.

107

Le lendemain matin, il pleuvait. Alors que nous avions prévu de donner notre conférence de presse à l'extérieur, elle dut finalement se dérouler dans la salle d'identification des suspects du Daly Building. Une centaine de reporters, voire davantage, n'avaient pas voulu manquer l'occasion, et l'on installa dans le hall d'accueil des haut-parleurs pour une retransmission audio en direct destinée aux journalistes déjà en surnombre et aux retardataires éventuels.

Max et moi étions assis à une table aux côtés du chef de la police, Perkins, et de Jim Heekin, du FBI. La pièce résonnait des crépitements des appareils photo, pour la plupart braqués sur Max et moi. Nous formions décidément une paire insolite.

C'était l'un de mes moments de célébrité. J'en avais déjà connu quelques-uns auparavant ; durant deux semaines, les demandes d'interviews se succéderaient, il y aurait peut-être une ou deux propositions de contrat pour un livre et, quand je rentrerais ce soir, des reporters seraient sans nul doute campés devant ma maison à m'attendre.

La conférence débuta avec une déclaration du maire, qui prit environ dix minutes pour démontrer combien tous ces événements prouvaient qu'il serait le meilleur candidat aux prochaines élections. Puis Perkins fit un compte rendu des principaux éléments de l'enquête, avant de laisser la parole à l'assistance pour les questions diverses.

— Inspecteur Cross, attaqua d'emblée un reporter de Fox, auriez-vous l'amabilité de nous raconter ce qui s'est passé sur ce fameux toit, la nuit dernière ? Minute par minute, avec tous les détails ? C'est de votre bouche que nous voudrions entendre cette histoire.

Pour la presse, c'était la partie « croustillante » de l'affaire, celle qui faisait vendre les journaux et, naturellement, leurs espaces publicitaires. Je fournis une réponse assez brève pour nous permettre d'avancer, mais suffisamment détaillée pour satisfaire les journalistes ; ainsi, ils ne passeraient pas l'heure suivante à me harceler à propos de « ce que l'on ressent quand on se retrouve face à face avec un meurtrier qui tue de sang-froid ».

— Donc, diriez-vous que l'agent Siegel vous a sauvé la vie ? enchaîna quelqu'un.

Siegel se pencha vers son micro.

— C'est exact. Personne n'a le droit de descendre ce type à part moi.

Cette boutade déclencha un éclat de rire général.

— Non, sérieusement, reprit-il, nous avons peut-être eu quelques accrochages en cours de route, mais cette enquête n'en demeure pas moins le parfait exemple de la façon dont les autorités locales et fédérales sont capables de travailler main dans la main devant une menace majeure. Je suis fier de ce que l'inspecteur Cross et moi-même avons accompli ici, et j'espère que la ville est elle aussi fière de nous.

Visiblement, même le bon côté de Siegel comportait un ego démesuré. Je n'étais toutefois pas d'humeur à me montrer chicaneur ou mesquin ; s'il voulait être au premier plan, grand bien lui fasse.

Je me tins ensuite en retrait, jusqu'à ce que quelqu'un pose la question inévitable :

— Et le mobile? Êtes-vous en mesure, à ce stade, de nous confirmer que Talley et Hennessey opéraient pour leur propre compte? Et si oui, quel était leur but?

— Nous explorons toutes les possibilités, m'empressai-je de répondre. Je peux cependant vous assurer que les deux hommes responsables des meurtres revendiqués par les « snipers patriotes » sont aujourd'hui décédés. La vie à Washington devrait reprendre un cours normal. Quant aux éventuels points en attente de conclusion de l'enquête, nous n'avons aucun commentaire à cette heure.

Siegel me dévisagea mais tint sa langue, et nous poursuivîmes notre numéro de duettistes.

Certains aspects de l'affaire ne seraient jamais communiqués à la presse. Nous avions en fait de nombreuses raisons de croire que Talley et Hennessey exécutaient le plan d'une tierce personne. Peut-être découvririons-nous un jour son identité... Peut-être pas. Ce matin-là, si j'avais dû formuler mon opinion, j'aurais affirmé que cette enquête était aussi close qu'elle le serait jamais.

Cela arrive. Une grande partie du travail de la police consiste à se contenter du menu fretin, sans jamais réussir à remonter au sommet. Et c'est exactement sur cela que comptent ceux qui sont à la tête. Tout ce petit monde qui travaille pour eux, les tueurs à gages, les gangsters, les voyous des rues, ce sont eux qui courent le plus de risques et, bien trop souvent, sont les seuls à tomber.

« Des renards dans le poulailler », comme dirait l'autre.

108

Deux jours de plus s'écoulèrent, consacrés à une paperasserie aussi fastidieuse qu'épuisante, puis je m'offris un long week-end, que je passai en partie à jouer à ce que les enfants ont coutume d'appeler « Papa-est-là ». En gros, j'éteins mon téléphone et je participe à autant d'activités que possible avec eux. Je parvins toutefois à m'éclipser avec Bree le temps de quelques heures précieuses, le dimanche après-midi.

Nous prîmes la voiture pour nous rendre à la résidence Tregaron, à Cleveland Heights. C'est une immense demeure de style néo-classique située sur le campus de la Washington International School, et que l'on peut louer durant les vacances d'été. La directrice des relations publiques, une femme extrêmement guindée du nom de Mimi Bento, nous fit visiter les lieux.

— Et voici la Terrace Room, annonça-t-elle en nous introduisant dans une pièce attenante au majestueux hall d'entrée.

Un somptueux parquet et des lustres de cuivre habillaient la salle, qui ouvrait sur une terrasse abritée par une marquise d'où l'on avait une vue incomparable sur les jardins parfaitement entretenus et, au-delà, la Klingle Valley. L'endroit n'était pas trop miteux… Superbe, à dire vrai, et de grande classe.

Mme Bento consulta son registre relié en cuir.

— Nous avons une disponibilité le 11 et le 25 août, ou l'année prochaine, bien entendu. Combien d'invités envisagez-vous d'avoir ?

Nous échangeâmes un regard, Bree et moi. Aussi étrange que cela puisse paraître, nous n'avions encore rien planifié en détail. Nous comptions nous limiter à une réception en petit comité, j'imagine. Tout cela nous prenait un peu au dépourvu.

— Nous ne sommes pas vraiment certains du nombre, répondit Bree. (Les lèvres de Mme Bento se pincèrent de façon presque imperceptible.) Mais nous tenons à ce que la cérémonie et la réception se déroulent au même endroit. Nous aimerions ne pas faire les choses trop en grand.

— Bien sûr…

Dans les yeux de la femme s'amenuisait la pile de dollars escomptés.

— Alors refaites tranquillement un tour, suggéra-t-elle. Je serai dans mon bureau si vous avez besoin de moi.

Après son départ, nous sortîmes sur la terrasse. C'était une radieuse journée de printemps, et l'on imaginait sans peine célébrer là un mariage.

— Tu as des questions ? demanda Bree.

— Oui, dis-je en lui prenant la main pour l'attirer contre moi. Est-ce ici que tu m'offriras ma première danse ?

Nous nous balançâmes doucement sur place pendant que je fredonnais du Gershwin à son oreille :

— *No, no, they can't take that away from me…*

— Tu sais quoi ? déclara soudain Bree. Cet endroit est absolument magnifique. Je l'adore.

— Alors, c'est décidé.

— Sauf que nous devrions oublier tout ça, à mon avis.

Je m'arrêtai de danser pour la regarder.

— Je n'ai pas envie de passer les mois qui viennent à penser à la couleur des cartons d'invitation ou à faire des plans de table, expliqua-t-elle. Cela ressemblerait au mariage d'une autre, pas au mien. Pas au nôtre. Tout ce que je veux, c'est t'épouser. Maintenant, par exemple.

— Maintenant ? répétai-je. Là… ? Tout de suite ?

Dans un éclat de rire, elle se haussa sur la pointe des pieds pour m'embrasser.

— Le plus vite possible. Quand Damon rentrera à la maison pour les vacances. Qu'en dis-tu ?

Je n'avais pas besoin de réfléchir. Une seule chose m'importait pour ce mariage, c'était qu'il se déroule exactement selon les vœux de Bree ; je me fichais bien qu'il ait lieu dans un manoir luxueux ou à la mairie de Washington. Tant que Bree y était.

— Après le retour de Damon, alors, approuvai-je en scellant notre accord d'un nouveau baiser. Question suivante : crois-tu qu'on peut filer en douce par derrière, ou faut-il avertir Mimi Bento ?

109

Le jardin resplendissait sous les décorations que Sampson, Billie et les enfants s'étaient employés à installer pour nous. Ils avaient placé de petites ampoules blanches dans les arbres, et des bougies partout ailleurs. Du jazz flottait dans l'air et une douzaine de chaises à haut dossier étaient disposées sur la véranda, pour les amis et membres de la famille invités un peu à la dernière minute puisque nous avions avancé le mariage.

Durant la cérémonie, les enfants se tiendraient à nos côtés : Ali, chargé de présenter les alliances ; Jannie, radieuse dans sa superbe robe blanche, coûteuse folie que nous lui avions autorisée ; et Damon, plus grand, plus mûr et sûr de lui dans cette nouvelle version du gamin que nous avions déposé à Cushing à l'automne dernier.

Quant à Bree, bien évidemment, elle était sublime dans une simple robe bustier blanche. Sobre et parfaite à mes yeux. Elle et Jannie avaient orné leurs cheveux des mêmes minuscules fleurs blanches. Nana, enfin, trônait avec fierté sur une chaise du premier rang, un hibiscus au-dessus de l'oreille et un éclat dans les yeux que je ne lui avais pas vu depuis trop longtemps.

À 18 h 30 tapantes, le révérend Gerry O'Connor, pasteur de Saint-Anthony, notre paroisse, fit signe de la tête à Nana qu'il était temps de commencer. Elle avait exprimé le souhait qu'on lui permette de prononcer une homélie de son cru. Elle se leva pour s'adresser à l'assemblée.

— J'ai foi dans le mariage, déclara-t-elle, sur un ton de prêche. Plus précisément, je crois en ce mariage-ci.

Se rapprochant de Bree et de moi, elle nous prit tous deux par la main.

— Aucun de vous ne m'a rien demandé, mais je vous donne l'un à l'autre, ce soir, et sachez que c'est pour moi un immense honneur.

» Bree, je n'ai pas connu tes parents, que Dieu ait leur âme, et pourtant je suis convaincue qu'ils auraient été aux anges de te voir épouser mon petit-fils. C'est un homme bien, affirma-t-elle, le regard brillant de quelques larmes très inhabituelles. C'est la prunelle de mes yeux, et je ne dis pas ça à la légère.

» Quant à toi, continua-t-elle en se tournant vers moi, tu as touché le jackpot avec elle, mon grand.

— Tu n'as pas besoin de me le rappeler ! la taquinai-je.

— Certes, mais depuis quand est-ce que cela m'arrête ? Cette femme, Alex, c'est l'amour personnifié. Je le vois dans son expression lorsqu'elle te regarde. Je le vois quand elle observe les enfants. Et même quand ses yeux se posent sur ma vieille personne bavarde et absurde. Jamais je n'ai connu de femme plus généreuse de caractère. Et vous ?

Sa question s'adressait aux invités, qui répondirent tous avec fermeté « Non ! » ou « Non, madame ! » pour quelques-uns.

— Exactement ! approuva-t-elle, avant de me menacer de son index osseux. Alors, tu as intérêt à ne pas gâcher ça !

Elle se rassit pendant que l'assemblée riait encore, la plupart avec des larmes d'émotion. Quelques phrases lui avaient suffi pour couvrir de façon magistrale l'intégralité du sujet.

— Ils sont à vous, révérend, dit-elle.

Lorsque le pasteur O'Connor ouvrit sa bible pour commencer la bénédiction, j'embrassai du regard le cercle de visages souriants autour de moi : John Sampson, mon meilleur ami; ma grand-mère; mes enfants si beaux; et Bree, cette femme incroyable sans laquelle je ne pouvais désormais envisager ma vie, comme j'avais fini par le comprendre. Je sus alors que les premiers mots de l'homme d'Église exprimeraient à la perfection ce que je ressentais en ce moment précis, le cœur et l'esprit en complet accord.

Ces paroles furent : « Mes très chers. »

110

La fête fut une réussite totale et se prolongea tard dans la nuit. Nous n'avions pas lésiné sur la nourriture, passant commande à un ami traiteur d'énormes quantités de porc à la jamaïcaine, de riz à la noix de coco, de bananes plantain frites, le tout accompagné d'un cocktail que Sampson avait baptisé le « Breelex ». Il était composé de deux variétés de rhum, de jus d'ananas, de gingembre et orné d'une cerise – pour les enfants, le rhum en moins, quoique Damon ait goûté la version adulte, une seule fois... pour autant que je sache.

Grâce à Jerome Thurman, qui fit un bœuf avec son groupe fusion dans le jardin, il y eut de nombreuses danses sous les étoiles, et j'allai même jusqu'à interpréter quelques morceaux, assez mal d'ailleurs, après un Breelex ou deux. Ou trois. Les enfants s'accordèrent à dire que j'avais une voix de « fausset », « absolument atroce ».

Cette longue veille n'empêcha pas toute la famille d'être debout tôt et en pleine forme le lendemain matin. Un taxi nous emmena à l'aéroport, d'où l'on s'envola pour les Bahamas, avec une correspondance à Miami. Une limousine attendait à Nassau pour nous conduire directement au One&Only Ocean Club, un endroit aussi unique que le promettait son nom.

Bree et moi avions vu cet hôtel dans mon James Bond préféré, *Casino Royale*, et je lui avais fait le serment d'y séjourner avec elle un jour ou l'autre. Dès que nous arrivâmes dans l'allée en forme de larme où s'alignaient des voitures à faire baver d'admiration, Bree se mit à plaisanter sur le thème de James Bond.

— Je m'appelle Cross, Bree Cross, déclama-t-elle quand je l'aidai à descendre de la limousine.

Je crois qu'elle avait surpris bon nombre de gens en prenant mon nom. Si la décision lui revenait entièrement, j'en étais enchanté ; j'aimais entendre sa nouvelle identité dans la bouche d'autrui tout autant que dans la mienne.

— Docteur Cross et sa femme. Nous avons une réservation, informai-je l'aimable et très accueillante réceptionniste.

Bree serra ma main et nous partîmes d'un fou rire, comme des gamins. Ou peut-être tout bonnement comme un couple de jeunes mariés.

— À votre avis, dans combien de temps pourrons-nous piquer une tête dans cet océan qui n'attend que nous ? demandai-je sur un ton badin.

— Je dirais dans environ… trois minutes et demie, répondit l'employée en faisant glisser nos clefs sur le comptoir. Vos chambres sont prêtes. Une suite double dans la partie Crescent Wing et une villa sur la plage. Profitez bien de votre séjour.

— Oh, comptez sur nous ! affirma Jannie.

Elle venait d'apparaître dans notre dos, alors que Nana, Damon et Ali étaient restés dehors à contempler le sable blanc et l'eau turquoise. Vraiment turquoise. Je tendis la clef de la suite à ma fille.

— Voici pour toi, mam'zelle J. Je t'en nomme officiellement responsable, et on se retrouve tous demain pour le déjeuner.

— Papa, je continue de penser que tu es fou de nous avoir emmenés, déclara-t-elle. (Elle se pencha vers moi comme pour me confier un secret.) Mais je suis ravie que tu l'aies fait.

— Moi aussi, chuchotai-je.

Du reste, ce serait bel et bien une lune de miel. C'est à cela que servent les cartons « NE PAS DÉRANGER ».

111

Notre villa n'était pas la cerise sur le gâteau, mais le gâteau lui-même. Exactement « comme dans les films », selon l'expression consacrée. Sur toute la largeur du salon, des portes-fenêtres coulissantes à claire-voie ouvraient sur une terrasse privée avec piscine à débordement et un escalier menant à la plage. Les femmes de chambre avaient disposé des fleurs partout, aussi bien dehors que dedans, et l'immense lit en acajou coûtait probablement à lui seul l'équivalent d'un an de salaire.

— Mouais, ça ira, commentai-je en refermant la porte sur le monde extérieur. Si c'est assez bon pour 007...

— Oh, James, James ! parodia Bree, qui m'attira à elle sur le lit. Emmène-moi au septième ciel, comme toi seul en es capable.

Je me pliai volontiers à ses exigences. Une chose en entraînant très vite une autre, notre projet initial de profiter de la plage fut repoussé à plus tard. Nos ébats parvinrent toutefois à nous ouvrir l'appétit ; quand nous finîmes par nous lever, le soleil descendait sur l'océan et nous étions prêts à déguster un repas fin.

Je ne saurais dire ce qui fut le plus délectable ce soir-là, entre les mets d'inspiration française et antillaise au restaurant Dune, l'extraordinaire bouteille de pinot noir qui les accompagnait, ou simplement cette rare sensation de ne pas être obligé, pour une fois, d'être ailleurs, ni d'en avoir la moindre envie.

Afin de prolonger au maximum la soirée, nous nous rendîmes après le dîner au casino de l'Atlantis Resort, un hôtel voisin, pour quelques parties de black jack. Bree gagna durant un moment, puis ce fut mon tour, mais à notre départ, vers minuit, nous étions délestés de quelques dollars. Qui s'en souciait ? Certes pas nous.

Nous rentrâmes à la villa en passant par la plage, marchant main dans la main.

— Heureuse ? demandai-je à Bree.

— Et mariée. L'épouse comblée, quoi ! Ça ne me paraît même pas encore réel. C'est pourtant bien la réalité, n'est-ce pas ? Je ne suis pas en train de rêver tout ça, hein, Alex ?

Je m'arrêtai pour l'enlacer et nous restâmes immobiles à contempler le reflet de la lune sur l'océan.

— Tu sais, nous n'avons toujours pas goûté à cette belle eau si bleue, fis-je remarquer. Partante pour un bain de minuit, madame Cross ?

Pendant que je commençais à lui déboutonner sa chemise, elle jeta un coup d'œil à la ronde.

— Serait-ce un défi ?

— Une simple invitation... N'empêche que je me sentirais un peu bête, tout nu et tout seul là-bas.

Elle s'occupait déjà de m'ôter mon pantalon.

Abandonnant nos vêtements sur le sable, nous partîmes nager. Malgré les percussions d'un steel band dans l'hôtel qui s'entendaient jusque-là, on avait l'impression d'avoir l'océan entièrement à nous. Au bout d'un moment passé à nous embrasser dans l'eau, nous finîmes par faire de nouveau l'amour, là, sur le rivage. Ce fut un peu risqué – et quelque peu sableux – mais c'était le genre de dangers que j'affronterais avec joie, n'importe quand.

112

Le lendemain, après une grasse matinée, nous prîmes notre temps pour nous préparer. Bree étudiait la carte du petit déjeuner servi en chambre et j'étais en train d'enfiler un tee-shirt lorsque le téléphone sonna. Il avait beau être un peu tôt pour un appel des enfants, cela ne me dérangeait en rien. À vrai dire, je me réjouissais à l'idée des taquineries qu'ils n'allaient pas nous épargner.

— Bonjour ! lançai-je sur un ton guilleret.

— Bien le bonjour à toi ! susurra dans mon oreille la voix si reconnaissable de Kyle Craig. Alors, comment s'est déroulé le mariage ?

J'aurais dû le prévoir, prendre davantage de précautions. Ces appels indésirables étaient devenus l'une des signatures de Kyle.

Avant que j'aie pu proférer un mot, un avion survola l'hôtel dans un vrombissement… et j'éprouvai un choc brutal en me rendant compte que je l'entendais également dans le combiné.

Je courus à la porte-fenêtre vitrée pour regarder dehors.

— Kyle ? Où es-tu ? Qu'est-ce que tu mijotes ?

— As-tu remarqué que j'ai tenu ma promesse ? Je t'avais bien dit que je te laisserais te marier.

— Comment ça, « me laisser » ?

Il n'y avait pas de signe de lui à l'extérieur de la villa, mais cela ne me rassurait pas pour autant. Il pouvait se cacher n'importe où. À l'évidence, il se trouvait dans les environs, et certainement tout près d'ici.

— Et veux-tu savoir pourquoi ? me nargua-t-il.

La poitrine oppressée, je respirais à peine tandis que je continuais à inspecter du regard les alentours.

— Non, ça ne m'intéresse pas.

— Parce que « j'ai foi dans le mariage », ânonna-t-il en singeant la voix de Nana. C'est bien ce qu'elle a déclaré l'autre soir ?

À ces mots, le souffle me manqua complètement.

— Par ailleurs, enchaîna-t-il, c'est tellement plus amusant de priver un homme d'une épouse que d'une banale petite amie. Je me suis montré patient, Alex, mais il est temps de passer à la suite.

— Quelle suite ? De quoi parles-tu ? l'interrogeai-je, avec l'angoisse de connaître déjà la réponse.

— D'éclaircissements, mon ami. Jette donc un coup d'œil vers l'océan. Cela va t'intéresser.

Je fis coulisser la porte vitrée et sortis sur la terrasse ; il ne me fallut qu'une seconde pour les apercevoir.

Sur la plage, Ali et Jannie m'adressaient de grands signes joyeux. C'était impossible, inimaginable, mais à quelques pas derrière eux se tenait Max Siegel :

chemise criarde, lunettes de soleil, une serviette de plage couvrant sa main droite, et dans la gauche un portable. Il sourit à ma vue et, en même temps que ses lèvres remuaient, la voix de Kyle Craig résonna de nouveau dans mon oreille :

— Surprise !

113

J'eus l'impression que mon cœur s'était arrêté de battre un moment, avant de repartir. Mon cerveau travaillait à toute allure. Kyle avait dû subir une très lourde opération. Ce visage n'était absolument pas le sien !

— C'est exact, railla-t-il. Tout ce que tu es en train de penser en cet instant est juste. Hormis la partie où tu espères sauver tout le monde. Tu n'y n'arriveras pas.

Un peu plus loin sur la plage, Nana observait la scène, abritée sous un parasol. Damon, le seul d'entre nous à n'avoir jamais rencontré Max Siegel, était installé à côté d'elle sur une chaise longue et écoutait de la musique sur son iPod.

— Qu'en dites-vous, les enfants ? lança Kyle, reprenant plus ou moins la voix de Siegel. Vous voulez aller embrasser papa pour lui dire bonjour ?

Il rangea le portable dans sa poche pour prendre Ali par la main, et fit en sorte de me donner un bref aperçu de ce que cachait la serviette : un pistolet.

Oh, mon Dieu, non ! C'est un cauchemar.

Bree et moi avions délibérément laissé nos propres armes à Washington ; cette idée semblait une terrible erreur à présent. Il me fallait improviser. Mais comment ? Que pouvais-je utiliser pour nous défendre ?

Je murmurai à Bree quelques mots rapides pendant que les trois silhouettes avançaient sur le sable. Le temps me manquait pour envisager différentes solutions. Il ne restait que mon instinct et une courte prière pour la réussite de mon plan.

— Coucou, papa ! cria Ali alors qu'ils approchaient de l'escalier menant à la terrasse.

Il tenta d'accélérer le pas mais Siegel (non, Kyle !) le tenait fermement par la main. Je dus faire appel à toute ma volonté pour demeurer immobile.

Jannie courut vers moi sans les attendre.

— Tu y crois, toi, que M. Siegel est aussi à l'hôtel ? s'exclama-t-elle, avant de m'embrasser sur la joue. C'est dingue, non ?

— Incroyable, répondis-je.

Ni elle ni Ali ne parurent remarquer à quel point ma voix était éteinte.

— Désolé de faire irruption comme ça, s'excusa Kyle, parfait dans le rôle de Max.

La mine réjouie, il me défiait du regard, manifestement désireux de me pousser à réagir. Et cette voix ! Ce n'était pas celle de Kyle, et pourtant je la reconnaissais. Comment les points communs avec la sienne avaient-ils pu m'échapper jusque-là ? C'est quand même stupéfiant cette façon dont le cerveau s'accommode de ce que les yeux voient... ou ne voient pas.

Forcé de me plier à sa comédie pour le bien des enfants, je reculai à l'intérieur de la villa.

— Aucun problème, entrez donc. Bree est sous la douche mais elle ne va pas tarder à sortir.

Kyle posa une main sur l'épaule d'Ali, et ce geste me souleva le cœur.

— Et si vous alliez la chercher ? suggéra-t-il, son sourire s'agrandissant encore. J'attendrai ici, avec les enfants. Je suis certain qu'elle aimerait être informée de ma présence. Quelle coïncidence ! C'est fou, non ?

Une sorte de décharge électrique passa entre nous, quelque chose qui ressemblait fort à de la haine.

— Bree ? appelai-je en me dirigeant vers la salle de bains, sans détacher mon regard de Kyle. Peux-tu venir ?

Je passai la tête par la porte quelques secondes à peine.

— Max Siegel nous fait une petite visite, ajoutai-je, assez fort pour qu'il m'entende.

Bree enleva son tee-shirt et mit la tête sous le jet de la douche pendant que nous nous regardions avec désespoir.

— J'arrive tout de suite ! lança-t-elle sur un ton aussi haut que le mien.

Je me retournai vers Kyle, qui n'avait pas lâché Ali. Jannie s'était assise au bord du lit défait, et m'observait maintenant d'un air perplexe. Je pense qu'elle avait commencé à sentir qu'il se passait quelque chose d'anormal.

— Elle arrive tout de suite, répétai-je, avec autant de naturel que possible.

— Bien ! dit Kyle. Après, je vous emmène faire une balade en voiture. Vous êtes prêts pour l'aventure, les enfants ?

— Super ! pépia Ali.

Jannie demeura silencieuse. Durant tout ce temps, Kyle garda sa main droite dissimulée sous la serviette, son pistolet hors de vue.

Quand Bree entra dans la pièce, elle était pieds nus et portait l'un des peignoirs de l'hôtel. À son attitude, on n'aurait jamais deviné qu'elle était aussi effrayée et sur les nerfs que moi. Elle se dirigea vers Kyle, la main tendue.

— Max, quel plaisir de vous voir !

— Le plaisir est partagé, répondit Kyle, qui ne cachait plus sa satisfaction.

C'est alors que, à l'instant où ils se serraient la main, Bree sortit en un éclair de sa main restée libre un objet de la poche du peignoir : une mini bombe de laque pour les cheveux provenant de ses accessoires de toilette. Elle en pulvérisa dans les yeux de Kyle, qui hurla de douleur, puis, d'un autre mouvement fluide, lui flanqua son genou dans le bas-ventre.

Au même moment, j'attrapai une carafe en verre sur le bar, près duquel je m'étais posté. En trois enjambées rapides, je m'approchai de Kyle et le frappai de toutes mes forces avec le lourd récipient qui se fracassa sur sa mâchoire et son nez. Il s'écroula par terre. Des morceaux de verre volèrent en tous sens.

Ali se mit à crier, mais l'heure n'était ni aux explications ni au réconfort. Bree le souleva comme s'il ne pesait rien, saisit le bras de Jannie et les fit sortir de la villa.

Quant à moi, je sautai sur Kyle, prêt à le réduire en bouillie.

114

Kyle me décocha un coup de poing qui m'atteignit en pleine mâchoire. Le choc résonna dans mon crâne. Je ne pouvais le frapper à mon tour, car mes mains étaient occupées, l'une à lui bloquer un poignet, l'autre à tenter en vain de lui arracher son arme.

À la place, je lui assenai un violent coup de tête à l'endroit où il était déjà blessé, ce qui suffit à lui faire lâcher le pistolet. Un Beretta neuf millimètres… L'arme de Max Siegel.

Je reculai à quatre pattes, visant Kyle entre les yeux, tandis qu'il les frottait furieusement pour essayer de voir clair.

— À plat ventre ! lui intimai-je en me relevant. Face contre terre, les mains écartées du corps !

Il sourit. Ses yeux étaient injectés de sang et brouillés par des larmes de souffrance, mais je devinais qu'il me distinguait quand même.

— Quelle situation paradoxale, déclara-t-il. J'aurais pourtant juré que tu mentais, l'autre soir dans la voiture, mais tu es vraiment incapable de presser la détente, hein ?

— Pas sans raison. Alors soit tu m'en donnes une, soit tu te tournes et tu embrasses le sol... immédiatement ! Allez !

— Va te faire foutre, Cross, et tu sais que je ne dis pas ça à la légère.

Soudain, il roula effectivement sur lui-même, trop vite, et un tesson pointu de verre qu'il cachait dans sa main fusa dans ma direction. Je sentis se déchirer le muscle de mon mollet. Mon genou se déroba sous moi, et je fus par terre avant d'avoir compris ce qui se passait.

Kyle, lui, était déjà debout.

Il trébucha en sortant de la pièce, ce qui lui sauva probablement la vie. Le seul coup que je parvins à tirer fit exploser la porte vitrée au lieu de sa tête, à l'instant où il bondissait sur la terrasse pour disparaître aussitôt.

115

Je tirai une fois en l'air en arrivant sur la plage. Tous ceux qui ne s'étaient pas déjà écartés du chemin de Kyle se dispersèrent sur-le-champ. Il ne marchait pas droit, peut-être souffrait-il d'une commotion cérébrale. Mais de mon côté, ma jambe blessée me freinait sérieusement aussi. Je n'avais jamais vécu une poursuite de ce genre.

Des gens hurlaient, d'autres sortaient leurs enfants de l'eau. Puis, n'ayant pas de ligne de mire dégagée, je ne pus que regarder avec impuissance Kyle se pencher et soulever de terre un petit garçon de deux ou trois ans, sous les yeux de sa mère qui courait pour le rejoindre.

Elle fonça sur eux, mais Kyle plaqua l'enfant contre son torse à la façon d'un bouclier.

— Reculez ! cria-t-il. En arrière ou je...

— Prenez-moi ! supplia la mère.

Elle s'était mise à genoux, incapable de s'approcher ni de s'éloigner, et continuait à l'implorer :

— Prenez-moi à sa place !

— Kyle, lâche-le !

Quand il se retourna pour me regarder, j'étais assez près de lui pour voir l'assurance revenir dans son regard. Il était parfaitement conscient de détenir la monnaie d'échange dont il avait besoin.

— Tu es venu pour moi, pas pour ce garçon, lui rappelai-je. Laisse-le partir ! C'est moi que tu veux !

Le pauvre gamin avait beau sangloter, les bras tendus vers sa mère, Kyle le remonta un peu plus haut contre lui et le serra encore plus fort.

— Je vais d'abord récupérer mon arme, dit-il. Plus de discussion. Dépose le pistolet par terre et recule. Trois, deux…

— D'accord ! Je le pose.

Je m'accroupis lentement ; ma jambe se paralysait, je pouvais à peine la bouger, maintenant. Il n'était cependant pas question de laisser la vie de ce garçon entre les mains de Kyle, en qui je n'avais aucune confiance. Aussi décidai-je d'agir, en dépit des risques certains. Je relevai le pistolet à la dernière seconde et visai bas – le corps de l'enfant n'était pas assez grand pour faire à Kyle un rempart de la tête aux pieds. Ma balle atteignit celui-ci juste sous la rotule.

Il se mit à hurler comme un animal sauvage. Le petit tomba sur le sable et partit à quatre pattes vers sa mère. Kyle tenta de se relever sur sa jambe valide… jusqu'à ce que je tire sur celle-là également.

Il s'effondra de nouveau par terre, la poitrine palpitante sous la souffrance. À présent, ses jambes n'étaient plus qu'une masse ensanglantée, et cette vue me fit un bien fou. J'appréciais tout particulièrement de l'avoir eu avec son propre pistolet.

J'aperçus alors Bree qui arrivait en courant, accompagnée de deux agents en uniforme. En chemin, elle leur montra Kyle du doigt puis se précipita droit sur moi.

— Oh, mon Dieu !

Elle plaça un bras autour de ma taille afin de soulager ma jambe blessée.

— Ça va aller ? me demanda-t-elle avec inquiétude.

Je hochai la tête.

— Il lui faut une ambulance, dis-je.

— Elle est en route, affirma l'un des policiers.

Les yeux de Kyle étaient fermés mais il les ouvrit en sentant mon ombre entre son visage et le soleil.

— C'est terminé, Kyle. Pour de bon, cette fois.

— Sois plus précis, fit-il d'une voix éraillée. (Il respirait avec difficulté et tremblait de douleur.) Tu crois avoir gagné la partie, ici ?

— Pour moi, la question n'est pas de gagner, seulement de t'enfermer là où tu ne pourras plus jamais faire de mal à personne.

Il força un sourire.

— Ça ne m'a pas arrêté la dernière fois.

— Eh bien, tu sais ce qu'on dit : la seule chose qui soit pire que l'isolement c'est d'y retourner. Mais ce n'est peut-être qu'une façon de parler.

Sans doute pour la première fois depuis que je le connaissais, je lus dans ses yeux quelque chose qui ressemblait à de la peur. Cela ne dura qu'une seconde et il recouvra son aplomb imperturbable.

— C'est loin d'être fini ! croassa-t-il.

Il ne s'adressait déjà plus qu'à mon dos. L'ambulance venant d'arriver sur les lieux, je tenais à mettre en garde les secouristes.

— Occupez-vous de lui d'abord. Soyez prudents, cet homme est extrêmement dangereux.

— On se charge de tout, monsieur, intervint l'un des policiers. Et je voudrais que vous me remettiez cette arme.

Je lui tendis le pistolet un peu à contrecœur, puis Bree m'aida à m'asseoir sur une chaise longue d'où je pus continuer à surveiller ce qui se passait. Entre-temps, elle avait attrapé une serviette avec laquelle elle me banda bien serré le mollet.

Kyle ne se donna pas la peine de résister pendant que les deux secouristes lui attachaient un goutte-à-goutte et un masque à oxygène, avant de découper les jambes de son pantalon. Il avait perdu beaucoup de sang, son visage était blanc comme un linge. Je crois qu'il commençait à prendre vraiment conscience que son retour à ADX Florence était inéluctable.

On l'allongea sur une civière, la bouteille d'oxygène et le matériel d'intraveineuse placés entre ses jambes de façon à pouvoir soulever le tout pour l'installer dans l'ambulance.

— Il faut lui passer les menottes, criai-je aux agents. Et ne laissez pas les secouristes seuls avec lui !

— Calmez-vous, maintenant, monsieur, rétorqua l'un d'eux avec colère.

— Je suis un inspecteur et je sais de quoi je parle. Cet homme est recherché par le FBI, vous devez l'immobiliser complètement. Tout de suite !

— D'accord, d'accord.

Il fit signe à son collègue et tous deux se dirigèrent vers Kyle.

Comme si la scène se déroulait au ralenti, je vis le premier flic monter à l'arrière de l'ambulance, sortir les menottes… dont aussitôt Kyle s'empara, avec une force canalisée que seul un psychopathe dans son genre était capable de rassembler dans son état. Il se servit des menottes pour tirer l'homme vers lui et, en un éclair, lui arracha son arme.

Bree s'était instinctivement levée pour courir aider le policier, mais je roulai hors de la chaise longue en l'entraînant avec moi sur le sable.

Il y eut un coup de feu. Un autre.

Puis la première de deux explosions assourdissantes. Nous découvririons plus tard qu'une balle avait percé la bouteille d'oxygène de Kyle, qui avait éclaté en une boule de feu à l'intérieur du véhicule, rapidement suivie par le réservoir d'essence.

L'ambulance implosa dans une déflagration qui me déchira les tympans. Verre et métal volèrent vers le ciel et une pluie de sable retomba sur nous. Les gens se mirent de nouveau à hurler.

Quand je relevai la tête, je vis qu'il n'y avait aucun espoir de retrouver des survivants. Le véhicule n'était plus qu'une carcasse noire, d'où s'échappaient encore des flammes et une épaisse fumée sombre s'élevant dans l'air. Les deux policiers et les deux secouristes étaient morts.

De même que Kyle. Une fois le feu éteint, nous pûmes nous approcher suffisamment de son corps pour constater qu'il était carbonisé de la tête aux pieds.

Le visage dans lequel il avait tant investi était totalement méconnaissable, un simple masque noir sans traits à la place de l'homme qu'il avait été. Il ne restait plus grand-chose de lui par ailleurs.

Quant à cette balle dans la bouteille d'oxygène, je me demande encore si elle était délibérée. L'idée de retourner en cellule d'isolement devait lui être intolérable. La prison aurait fini par le tuer, et sans doute s'y attendait-il.

Peut-être avait-il aussi tenté de m'emmener avec lui dans la mort : un dernier effort pour accomplir la tâche qui, pour quelque raison inconnue, était devenue le but de sa vie.

Au fond, je crois connaître les réponses à toutes ces questions, même si je n'en serai évidemment jamais certain. Et un jour, je l'espère, je ne m'en soucierai plus.

ÉPILOGUE

L'ÉTÉ

116

Le déchaînement des médias qui m'attendait à mon retour à Washington dépassait, si c'était possible, ce que j'avais laissé derrière moi. Comme Kyle Craig avait été le plus célèbre des criminels recherchés dans le pays, chaque journaliste réclamait à cor et à cri un récit de l'histoire. Je dus employer quelques jours de plus la société de sécurité de Rakeem Powell, uniquement pour garder les curieux à distance et garantir à ma famille un semblant d'intimité.

J'étais préparé à subir les foudres de Nana à propos des événements de Nassau, mais elle me les épargna. Nous reprîmes tranquillement le cours de nos vies du mieux que nous le pouvions.

Au cours des jours suivants, j'entamai un lent et constant processus consistant à discuter avec les enfants, tous ensemble et séparément. Je voulais leur faire assimiler la terrible réalité de ce qui était arrivé, tout en leur expliquant que cela signifiait aussi la fin d'une menace.

Chacun d'eux parut le comprendre, à sa manière. Une fois mes deux semaines de vacances écoulées, tout le monde allait plutôt bien.

Pourtant, j'avais pris une décision : il me fallait rester plus souvent auprès de ma famille, du moins pendant un temps. Je déposai une demande de congé sans solde jusqu'à la fin de l'été, avec l'espoir qu'elle serait acceptée. Dans le cas contraire, tant pis. Je démissionnerais et trouverais autre chose à faire.

À vrai dire, j'envisageais sérieusement d'écrire un nouveau livre, celui-là consacré à Kyle Craig et à l'affaire du « Cerveau ». Cet homme avait non seulement représenté le défi le plus difficile de ma carrière, mais il avait aussi été un ami... autrefois. Il me semblait avoir une histoire à raconter, et que cette histoire aurait de l'impact.

Dans l'intervalle, il y avait des tournesols à planter et des films à regarder ; des leçons de boxe à rattraper dans le sous-sol, des matchs de base-ball à aller voir, des visites à la Smithsonian à programmer ; des dîners qui se prolongeraient jusque bien après la tombée de la nuit, avec des conversations stimulantes ou des parties de « À la pêche ! ». Il y avait ma nouvelle épouse à qui prodiguer toutes les marques d'amour que je pouvais donner.

Sans compter, bien entendu, une nouvelle vie à construire ensemble.

L'été

117

Si seulement tout avait pu demeurer ainsi : un éternel été.

Ce fut juste après les fêtes du 4 juillet que je reçus l'appel du MPD, celui que tout le monde là-bas avait juré de ne pas me passer, quelles que soient les circonstances.

Un inspecteur d'Austin, au Texas, avait téléphoné partout à ma recherche. Il était chargé d'une enquête sur une série de crimes à la fois sinistres et déroutants. Cependant, les meurtres eux-mêmes n'étaient pas uniquement en cause. L'affaire commençait à montrer une similitude frappante avec l'une des miennes, que je pensais avoir bouclée des années auparavant.

Malgré tout, je renvoyai la demande vers un inspecteur de Dallas avec lequel j'avais travaillé, et restai ferme. Pour l'heure, je n'étais pas policier. Pas avant le mois de septembre.

Deux semaines plus tard arriva le deuxième appel. Celui-là provenait d'une inspectrice de San Francisco, une certaine Boxer. Elle avait sur les bras une affaire bizarre, familière elle aussi, qui rappelait étrangement les meurtres commis par un autre monstre, connu sous le nom de « M. Smith ». Je l'avais attrapé puis vu mourir. Du moins l'avais-je cru à l'époque.

Mais ceci est une autre histoire, que je relaterai un autre jour.

CET OUVRAGE A ÉTÉ COMPOSÉ PAR DATAMATICS
POUR LE COMPTE DES ÉDITIONS J.-C. LATTÈS
ET ACHEVÉ D'IMPRIMER EN FRANCE
PAR CAYFOSA
À BARCELONNE (ESPAGNE)
EN MAI 2014

JC Lattès s'engage pour l'environnement en réduisant l'empreinte carbone de ses livres. Celle de cet exemplaire est de :
1080 g éq. CO_2
Rendez-vous sur www.jclattes-durable.fr

N° édition : 01 – dépôt légal : juin 2014